P9-EES-021

L'autoguérison et ses secrets

Du même auteur, chez le même éditeur

- *Pensez-Gérez-Gagnez* (1995)
- *Délégué spécial* (1999)
- *L'amour au pluriel* (1999)
- *L'amour singulier* (2000)
- *Conversation entre hommes* (2001)
- *De l'ombre à la lumière* (2006)
- *Les clés du Secret* (2007)

À paraître bientôt

- *La spiritualité et ses secrets*

Daniel Sévigny

L'autoguérison et ses secrets

ÉDITIONS DE MORTAGNE

Données de catalogage avant publication (Canada)

Sévigny, Daniel, 1947-

L'autoguérison et ses secrets

ISBN : 978-2-89074-784-5

1. Médecine énergétique. 2. Autothérapie. 3. Guérison par l'esprit. I. Titre.

RZ421.S48 2008 615.8'51 C2008-941543-4

Édition
Les Éditions de Mortagne
Case postale 116
Boucherville (Québec)
J4B 5E6

Distribution
Tél. : 450 641-2387
Téléc. : 450 655-6092
Courriel : info@editionsdemortagne.com

Dépôt légal
Bibliothèque nationale du Canada
Bibliothèque nationale du Québec
Bibliothèque Nationale de France
3e trimestre 2008

ISBN : 978-2-89074-784-5

1 2 3 4 5 – 08 – 12 11 10 09 08

Imprimé au Canada

Nous reconnaissons l'aide financière du gouvernement du Canada par l'entremise du Programme d'aide au développement de l'industrie de l'édition (PADIÉ) et celle du gouvernement du Québec par l'entremise de la Société de développement des entreprises culturelles (SODEC) pour nos activités d'édition. Gouvernement du Québec – Programme de crédit d'impôt pour l'édition de livres – Gestion SODEC.

Membre de l'Association nationale des éditeurs de livres (ANEL)

Je dédie ce livre à ______________________,
afin que la motivation à développer votre
esprit conscient, votre plus grande richesse,
soit votre leitmotiv.

SOMMAIRE

Préface

Je connaissais Daniel Sévigny depuis quelques années, d'une part par ses écrits, qui m'intéressaient beaucoup, et d'autre part grâce à un retour d'information provenant des très nombreux patients que j'avais invités à lire ses livres ou qui avaient suivi un de ses stages. Mais quand, début 2008, il a souhaité me rencontrer et m'a demandé de préfacer *L'autoguérison et ses secrets*, j'ai été partagé entre deux sentiments extrêmes : d'un côté, la fierté d'un médecin de campagne, branché bien entendu sur tout ce qui était médecine alternative, d'être choisi par un auteur mondialement connu, et d'un autre côté, la crainte de voir les autorités scientifiques et médicales me reprocher de cautionner un livre au titre aussi percutant.

Après de longues semaines d'interrogation, de réflexion, après avoir demandé conseil à des amis médecins, j'ai finalement été violemment poussé dans le dos vers ma plume et ma feuille de papier par un événement exceptionnel qui est arrivé à mon épouse.

Merveilleux hasard !!! En effet, de façon très régulière, elle présentait des épistaxis de la narine gauche, spectaculaires par leur abondance et leur durée, d'autant plus que mon épouse prenait des anticoagulants, ce qui rendait le sang plus fluide. Finalement, le rythme de ces saignements était tellement handicapant (une à deux fois par jour) que toute vie sociale devenait impossible : plus question de restaurant, concert ou vacances. On décida alors de consulter un ami professeur en oto-rhino-laryngologie qui détecta une fragilité sérieuse d'une artère profonde du nez (l'artère sphénoïdale gauche). L'intervention chirurgicale, qui consistait en une ligature de cette artère sous anesthésie générale, fut programmée trois semaines plus tard. Bien inspiré, je conseillai quand même à mon épouse de canaliser trente à quarante fois par jour de l'énergie cicatrisante au niveau de son artère sphénoïdale gauche. Ce qu'elle fit et trois jours plus tard, plus de saignement... trois semaines plus tard, opération annulée... trois mois plus tard, toujours plus de saignement. Pouvais-je rêver d'une plus merveilleuse démonstration de l'efficacité des techniques d'autoguérison ?

Aussi, en cas de problème de santé, voyez bien évidemment votre médecin, suivez ses instructions, observez son traitement, mais en plus, si vous avez bien lu *L'autoguérison et ses secrets*, si vous avez assimilé la méthode, alors, n'hésitez pas à utiliser le plus souvent possible ce merveilleux soutien à la guérison et vous remarquerez très aisément que l'amélioration de votre santé ou votre guérison se fera beaucoup plus rapidement.

Fléron, le 7 juillet 2008

Dr Fredy Hermesse

Introduction

L'autoguérison et ses secrets est le deuxième livre d'une trilogie basée sur les pouvoirs de la loi de l'attraction. Le titre est très explicite et il est clair que le sujet exploité est provocateur.

Sujet délicat, car des milliers de médecins sont réfractaires à cette idée. Quoique j'en connaisse beaucoup qui font preuve d'ouverture d'esprit et qui sont conscients que le premier remède efficace est le patient lui-même. Qui plus est, ces médecins recommandent à leurs patients de venir me consulter ou de suivre la formation que je donne sur la Gestion de la Pensée. Dans leur pratique, ils ont constaté des guérisons spectaculaires. Leurs patients ont changé d'attitude, utilisé le canal énergétique et ils ont récupéré la santé. L'apport des médecins a été très important dans la guérison des malades : consultations, bilans de santé, écoute attentive. Malgré eux, ils sont médecins et psychologues en même temps. Au fond, ils savent très bien que, sans leur attitude psychique positive, les patients ne guériraient pas.

D'autre part, un autre aspect de la maladie est abordé de manière scientifique. Des cas de guérison, il y en a par milliers à travers le monde, et cela tous les jours, c'est vrai. La plupart de ces guérisons sont redevables à la science, qui évolue constamment. Dans plusieurs pays, actuellement, beaucoup d'hôpitaux mènent des études poussées sur les relations entre les pouvoirs de la pensée et les maladies.

On a beau jouer à l'autruche, ne pas vouloir écouter ni entendre, il faut être réaliste, c'est le monde de demain qui se prépare. Les prochaines générations composeront avec la nouvelle médecine, qu'elles le veuillent ou non.

Depuis des années, une sommité, le docteur Deepak Chopra, scrute le sujet à fond. Des milliers d'autres inconnus travaillent en catimini, explorant aussi le sujet. Ils ont compris que cette médecine est celle du futur.

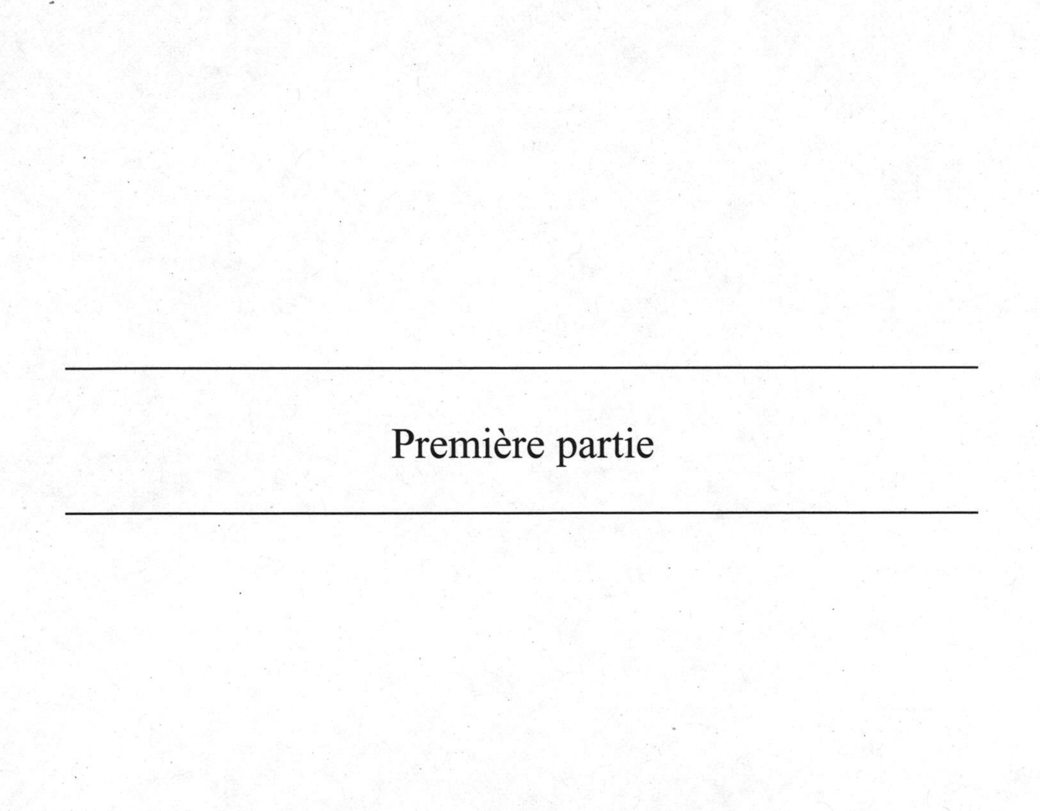

Première partie

Chapitre 1
L'alogique de la psychologie
PARADIGME DE LA PSYCHOLOGIE

Voici un résumé d'études approfondies sur divers points de vue scientifiques. Il importe que vous en soyez informé afin de bien comprendre l'évolution actuelle et de faire des choix intelligents concernant votre corps et votre santé.

Le nouveau paradigme de la psychologie transpersonnelle repose sur une combinaison différente de la psychologie moderne, subatomique, particulaire, ainsi que sur les religions mystiques. Son approche est bien nouvelle et elle fait surtout état de l'existence de capacités illimitées chez l'être humain, dont celui-ci n'est que très peu conscient, et qu'il doit apprendre à utiliser. Mais surtout, pour commencer, il doit avoir une très grande ouverture d'esprit.

Si nous suivions certains programmes de santé, je crois que nous serions tous malades. Ces méthodes comportent tellement d'exigences que nous finirions par abandonner seulement à la lecture des principes à suivre. Pour être en bonne santé, on nous propose d'exprimer nos émotions, de comprendre les arcanes du symbolisme, de vivre autrement la famille, de jouir de notre corps, de développer nos « pouvoirs *psy* », d'atteindre des niveaux supérieurs de conscience comme les grands mystiques de tous les temps, etc. Telles sont, en quelques mots, les grandes exigences à remplir pour être vraiment en parfaite santé sur cette planète.

Tous les propos se tiennent mais s'entrechoquent, car ils sont à l'image d'un nouveau mythe millénariste qui prophétise l'arrivée d'un homme nouveau caché dans chaque individu par la réalisation du Christ ou de Bouddha.

Les nouvelles thérapies, les médecines douces et les quêtes spirituelles sont souvent prises pour argent comptant par beaucoup de chercheurs ainsi que par divers auteurs. Il faut savoir que leurs grands fondateurs sont Freud, Reich, Marcuse, Lewin, Perls, les maîtres à penser orientaux, etc. Ce qui semble bien plus déterminant, c'est la sensibilité de l'énergie de l'ensemble de la planète, c'est-à-dire une transformation des récepteurs sensoriels qui a changé la manière de « sentir » et de percevoir le corps. Un saut quantique s'est opéré dans la seconde moitié de XXIe siècle.

La société a été modifiée par l'introduction de nouveaux modes de vie, de nouvelles règles issues de la transformation cellulaire par l'énergie globale, voire par la mutation de la sensibilité individuelle. Cette modification résulte de l'intoxication légère ou forte par toutes sortes de molécules chimiques laissées par les traces des expériences scientifiques et aussi par les guerres.

Des chercheurs chevronnés en sont venus à la conclusion suivante : le corps pourrait être parfait si... telle ou telle carence ne le maintenait pas en dessous de son potentiel optimal. Qu'est-ce qui empêche le corps d'être parfait ? La pensée. Le jour où les scientifiques et les chercheurs confirmeront que la pensée joue le premier rôle dans les cellules du corps, ce sera le jour où la médecine prendra sa nouvelle orientation, c'est-à-dire celle de consultante en bilan de santé afin que toute personne prenne la bonne direction pour s'autoguérir en se basant sur une connaissance exacte de sa condition physique.

Des nouvelles thérapies, des médecines douces et des méthodes de développement personnel sont en constante évolution. Il est juste de croire que l'autonomie a pris le relais par la liberté individuelle et qu'elle persistera. De là l'importance de s'intéresser au développement de son esprit conscient, peu en importe la source, pourvu que celle-ci convienne au penseur lui-même.

LE MYTHE DU CORPS SAIN

L'expérience sensorielle d'une douleur ou d'une limitation inhabituelle dans le corps trouble la conscience en vous donnant l'alarme ; le corps n'obéit plus comme d'habitude. Le fantôme de la maladie commence à hanter l'esprit.

Dès la perception des premiers symptômes, on refuse de croire à une sorte d'avertissement et on se dit que ça passera. En fait, la peur met en œuvre sa stratégie pour finalement laisser les angoisses dominer la situation. L'auto-analyse plus ou moins hypocondriaque incite à écouter son corps ou à ne pas l'écouter. Arrivé à l'évidence, on sera bien obligé de consulter un médecin. Mais à cause de la peur, on reporte la visite aussi loin que possible, en espérant qu'au fond, on n'en aura jamais besoin.

Le médecin écoute et palpe le corps. Au besoin, il ordonne des examens beaucoup plus approfondis. Aujourd'hui, deux cas types se présentent. *Primo*, la maladie est diagnostiquée, le traitement est prescrit, le malade le suit, il guérit. (Parfois, la maladie est imaginaire et le médecin prescrira un « placebo ».) *Secundo*, la maladie est impossible à diagnostiquer ou peut être détectée, mais aucun traitement ne permet actuellement d'y remédier.

Après une série d'analyses, si la médecine officielle connaît la maladie et le remède, le patient suivra religieusement les conseils prodigués. Par contre, si la médecine scientifique est incapable de le soigner, alors les inquiétudes vont commencer à faire naître le doute et le patient se mettra à la recherche d'une autre avenue pour récupérer sa santé.

Le malade cherche à se prévaloir de son droit fondamental de recouvrer la santé. Pour chacun de nous, il est très important de vivre en parfaite santé. Autrement dit, lorsque le sens de la vie est perdu, la seule chance qui reste est de chercher un guérisseur appliquant des approches différentes pour bénéficier de toutes les possibilités d'avancer sur la voie de la guérison.

Pour la plupart des habitants de la planète, la santé parfaite est une condition naturelle du fonctionnement de la vie. L'équilibre entre le corps et l'esprit est important, et la santé de l'esprit est primordiale pour la santé physique.

Être en bonne santé n'est pas seulement un état, mais aussi un devoir. D'où l'apparition d'un grand nombre de méthodes et d'autant de praticiens qui proposent des programmes pour se sentir mieux. L'aptitude à la santé n'est donc pas seulement une capacité de survie, mais une condition du bonheur. Le bonheur est étranger à la maladie.

Les différentes méthodes de guérison du corps sont relativement bien intégrées dans la société. Aujourd'hui, le public s'y intéresse de plus en plus, à condition qu'elles possèdent certaines caractéristiques conformes aux grandes habitudes de penser et de gérer. La formule est une chose, mais le patricien est le complément aux succès de l'exercice. À mon avis, il est encore plus important que la technique elle-même.

Il est clair que l'esprit du patricien domine la technique... Le corps (du patient) est sauvage, il doit être éduqué dans ses fonctions vitales, dans ses réactions émotionnelles et dans toutes les manifestations conscientes et inconscientes de sa vie. L'esprit et le corps font partie d'un tout. Il appartient en totalité à l'occupant d'une enveloppe charnelle de mettre son esprit au service de celle-ci. De toute manière, l'esprit est toujours lié à l'énergie du corps physique, parce qu'avant tout, ce dernier est de l'énergie.

Depuis environ trente-cinq ans maintenant, l'expansion extraordinaire des connaissances en matière de biologie totale et de neurophysiologie ainsi que de multiples changements de paradigmes suscités par la théorie de la relativité, sans oublier l'importante affluence de nouveautés dans le domaine de la santé, ont fait en sorte que beaucoup de chercheurs et de questeurs du corps ont révisé leurs théories ainsi que leurs approches. Ils ont aussi dû changer leur conscience pour atteindre ce qui est aujourd'hui désigné dans les milieux scientifiques comme des « états modifiés de conscience »... Il est désormais prouvé que l'esprit conscient influence le corps.

John C. Lilly, dans son *Introduction à une science du croire*, propose un texte de réflexion qui en dit long sur la pensée. « Est vrai ce que je crois. Ce que je crois vrai est vrai ou devient vrai à l'intérieur de certaines limites qu'il importe de repérer et de définir expérimentalement et expérientiellement, afin de les transcender. »

On a beau ignorer la puissance de la force de la *pensée* que chacun de nous possède, elle est toujours en activité et joue parfaitement son rôle entre le corps et elle. Ainsi, une personne qui ignore tout des principes du corps pensant est quand même en communion avec celui-ci. Lorsque le médecin donne son verdict au terme d'un bilan de santé, cette personne accepte systématiquement la situation et décide de suivre religieusement les conseils prescrits. Dans le cas où il n'y aurait pas de réponses satisfaisantes, le malade ira chercher ailleurs une solution de guérison. Le patient donne toute sa confiance à son médecin. Il respectera sérieusement la marche à suivre et recouvrera ainsi sa qualité de vie.

Il n'est pas toujours évident d'entreprendre une démarche de santé selon les conseils donnés. Généralement, les personnes savent ce qu'elles doivent faire pour être en meilleure condition, mais l'engagement dans une telle démarche exige une grande discipline. La maladie continue son chemin et le porteur en reste la victime, et souvent à cause d'un grand manque d'amour de soi.

La vie est merveilleuse, autant la vivre en parfaite santé. La médecine existe pour donner des traitements ou pratiquer des interventions radicales telles que les chirurgies. La guérison appartient au malade. Faire des pas de géant vers l'avant n'est pas toujours facile, bien au contraire. Consacrons une partie de notre temps à nous renouveler, tout en gardant le recul nécessaire pour nous protéger de cette invasion obscure appelée *maladie,* qui peut détériorer complètement la manière de vivre sa vie présente. Quittons cette loi du **subir** pour oser s'affirmer dans l'**agir**.

Tout a tendance à nous pousser dans l'attitude conservatrice. Seul devrait résonner au fond du cœur cet appel à chercher activement une issue. La motivation pour se refaire une santé, la détermination à entreprendre des démarches devraient nous guider vers de nouveaux horizons par l'entremise des différentes techniques de *croissance personnelle.*

La santé est le cadeau le plus précieux de la Vie.

Chapitre 2

Le corps quantique

LA CONFIRMATION DES POUVOIRS D'AUTOGUÉRISON...

De nombreuses médecines alternatives ont complètement disparu avec le temps, et pourtant, elles pourraient contribuer largement à la médecine moderne d'aujourd'hui. Les anciens médecins indiens et amérindiens étaient de grands sages et croyaient que le corps était créé à partir de l'esprit conscient. Ils pratiquaient une médecine fondée sur l'esprit conscient et leur façon de traiter la maladie dépassait la barrière corporelle pour aller au cœur même de la conscience.

La recherche de Maharishi, quant à elle, était axée sur l'ancienne Ayurvéda et sa capacité de guérir les malades par des procédés immatériels. Le docteur Deepak Chopra, sur une demande de Maharishi, devait expliquer comment, d'une manière logique, fonctionnaient les pouvoirs *holistiques*.

Le terme *holistique* semble faire peur à beaucoup de personnes, qui le relient à la magie noire ou à la sorcellerie, même de nos jours. Or, le mot *holistique* « signifie simplement que l'approche du problème inclut, ensemble, le corps et l'esprit ». Encore aujourd'hui, rien ne prouve scientifiquement l'efficacité de l'une ou l'autre de ces méthodes, et pourtant, elles fonctionnent.

Le rôle du médecin d'aujourd'hui est d'attaquer la maladie plutôt que d'essayer de la comprendre. Il est clair que c'est plus rapide, mais pas nécessairement plus efficace. Le but de la nouvelle médecine est de détruire physiquement les cellules de la maladie. Malheureusement, tout le corps subit les dommages causés par les produits chimiques utilisés. Dans le contexte psychologique, où la panique domine l'esprit conscient du malade, la médecine d'aujourd'hui préfère risquer les traitements à base de produits chimiques néfastes plutôt que d'affronter la maladie.

Les recherches entreprises dans plusieurs pays à travers le monde prouvent que, après avoir été guéris, presque tous les patients ont changé, et cela grâce à leur esprit conscient. Ils ont pris conscience qu'ils devaient prendre leur vie en main pour guérir. Ils sont convaincus de leur guérison, ils l'ont décidé. Peu importe la raison ou le but qui les motive, l'important est de guérir, et ils sentent cette force extraordinaire en eux et même au-delà de leurs limites personnelles. « À ce moment précis, ces malades atteignent apparemment un nouveau niveau de conscience qui interdit l'existence de la maladie. »

La plupart des guérisons ont toutes une origine mystérieuse, soit la foi, la rémission spontanée ou soit encore l'utilisation efficace de placebos. Peu importe le chemin emprunté, l'important, c'est le but atteint : la guérison.

L'esprit conscient est doté d'une très grande puissance, que la plupart d'entre nous ignorons. Par manque de connaissances, nous n'utilisons pas notre pouvoir réel. Lorsqu'une plaie se cicatrise normalement, lorsque l'organisme répare un os cassé, pourquoi cela ne serait-il pas un miracle ? Le corps lui-même a des ressources inexplorées que même la science ne peut pas du tout expliquer, et quand elle tente de le faire, c'est de manière imparfaite.

L'autoguérison est considérée encore aujourd'hui comme un miracle, alors que guérir une maladie, selon l'opinion générale, dépend d'une force divine extérieure à l'esprit de l'homme, d'une volonté extrême de vivre ou de raisons qui y incitent, et cela peu importe la maladie et ses conditions. Cela implique qu'il y a deux sortes de guérison, l'une normale et l'autre anormale, ou du moins exceptionnelle.

De manière surprenante, l'Occident a une vision scientifique de l'Univers qui rejoint la vision des anciens sages de l'Inde. C'est un voyage qui brise toutes les barrières et ignore les obstacles culturels. Il y a un grand malaise qui existe dans le monde médical concernant la médecine corps-esprit. Si le médecin avait le choix entre une idée nouvelle et un composé chimique connu, il donnera sa préférence aux produits chimiques qui ne lui demandent aucune réflexion, de même qu'au patient. S'il arrive que les produits utilisés sont inefficaces, alors le médecin, comme le patient, est confronté à une situation de remise en question sur le cas, voire à trouver une autre solution pour la guérison.

Personne n'échappe au processus du vieillissement. Toutefois, les déclins « naturels » liés à l'âge dépendent des capacités de l'esprit. Tant et aussi longtemps qu'une personne sera active mentalement, elle restera aussi intelligente qu'elle l'était dans sa jeunesse ou en pleine maturité. Nous perdons plus d'un milliard de neurones au cours de notre vie, au taux de dix-huit millions par an. Cette perte est compensée par une autre structure, composée de filaments ramifiés, ou dendrites, qui lient les cellules nerveuses entre elles.

Par millions, les dendrites se rassemblent en des points de jonction précis dans l'organisme, tel que le plexus solaire, sans oublier les milliards de milliards d'autres qui agissent dans le cerveau... et qui communiquent constamment entre elles pour remplir leur rôle sous les ordres de l'esprit conscient du demandeur. Il a été prouvé que de nouvelles dendrites pouvaient se développer pendant la vie entière, jusqu'à un âge très avancé.

Selon le docteur Chopra : « Dire qu'une cellule nerveuse crée la pensée, à mon avis, c'est non justifié scientifiquement parlant, mais je suis plutôt porté à croire que c'est la pensée qui crée des cellules nerveuses. »

Comme je l'ai mentionné dans l'ouvrage *Les clés du Secret,* je connaissais naturellement tous les faits concernant le fonctionnement de notre liaison avec l'Univers. Même aujourd'hui, je ne saurais vous en donner une explication intelligente. Pourquoi moi ? Sachez tout simplement que j'ai reçu ces connaissances d'une manière fluide et naturelle pendant que je donnais mon tout premier atelier sur la gestion de la pensée. La première partie du troisième atelier portait sur l'autoguérison. Encore une fois, j'ai reçu avec un naturel déconcertant tous les enseignements que je transmettais. Les participants étaient suspendus à mes lèvres et mes propos brillaient par leur cohérence.

J'avais lu sur le sujet et j'avais rassemblé une importante documentation, bien qu'à l'époque, les données fussent rares en ce domaine. Or, lors de ce premier atelier, les connaissances que captait mon esprit conscient s'ordonnaient avec une logique imparable. Pour moi, c'était naturel, donc mes propos étaient convaincants.

Quand j'ai eu en main l'ouvrage *Le Corps quantique*, du docteur Deepak Chopra, c'est avec émerveillement que j'ai découvert toutes les explications intelligentes concernant notre liaison avec l'Univers et tous les pouvoirs qui nous habitent, dont celui de l'autoguérison.

En vérité, ce n'est pas l'enseignement médical qui est à blâmer. Depuis toujours, on ignore le fonctionnement du mécanisme de la pensée. Dès que la médecine s'y intéressera et l'appliquera à titre expérimental, le cours de son évolution se transformera pour le meilleur et au grand bénéfice de la clientèle. Bien que le mécanisme de la pensée soit infini et vivant, on n'ose entreprendre des recherches dans ce sens par peur du ridicule. Admettre que la pensée peut tout serait alors trahir l'évolution jusqu'à ce jour. Je ne suis pas de cet avis. Bien au contraire, depuis le début des temps, toutes les grandes découvertes ont permis à la science de progresser et même de guérir des milliards de personnes. Il est clair que c'est la pharmacologie qui, comme une épée de Damoclès, menace toutes les personnes qui arrivent avec de nouvelles notions ou des idées innovatrices pour apporter des réformes sur le plan médical. Bien que depuis quelques décennies on s'intéresse de plus en plus à la puissance de la pensée, les dommages ne sont pas encore inquiétants pour les dirigeants des multinationales de la pharmacologie.

Revenons maintenant au sujet qui nous intéresse. Des études ont démontré qu'une grande motivation et une forte détermination, pourvu qu'elles soient positives, ont pour effet de prolonger la vie. Ce qui veut dire qu'il vaut mieux se battre que de renoncer. Et cette démarche ne se fait que volontairement, par le malade lui-même, en mettant en œuvre son propre mécanisme de la pensée. Attention, parce que si vous éprouvez des pensées négatives à l'égard de la maladie qui vous habite, telles que la colère, la crainte, la peur, l'angoisse et l'anxiété, elles auront un pouvoir néfaste, c'est-à-dire qu'au lieu que votre corps crée des cellules bienfaisantes pour votre guérison, vos cellules resteront infectées jusqu'à ce que mort s'ensuive... « L'esprit domine la matière, sauf lorsque celle-ci domine l'esprit. »

Aucun des éléments qui alimentent cette polémique n'a pu être tiré au clair. En conséquence, l'Univers subjectif de l'esprit demeure une très grande puissance capricieuse dans la capacité de guérir. Elle a ses lois et celles-ci doivent être respectées. En raison de son côté matérialiste, une bonne partie du corps médical serait trop heureuse de pouvoir prouver que seuls les agents chimiques sont les véritables facteurs de la guérison.

De toute évidence, on ne peut absolument pas ignorer le rôle de l'esprit conscient dans le processus des fonctions normales du corps. L'opération nécessite la contribution de l'esprit du demandeur, qui sait ce qu'il est en train de faire. Bien que la médecine, depuis presque toujours, persiste à croire que le corps, telle une machine autonome, est son propre titulaire, la présence d'une personne, par exemple au volant d'une voiture, est nécessaire. Dans le corps, l'esprit conscient est le maître d'œuvre de notre organisme. Dans le cas contraire, la chimie de l'organisme serait un mélange de molécules flottantes, alors que l'ensemble est d'évidence régi par un autre système incroyablement précis.

Après des années de recherche, on a réalisé que le cerveau du demandeur (le penseur lui-même) était doté d'une très grande puissance, qu'il était doué d'une intelligence qui le poussait à vivre, à bouger et à penser.

Peut-on le prouver ? Nous allons aborder l'intelligence et son véritable fonctionnement. Le domaine de la médecine corps-esprit n'a ni convictions précises ni aucune règle inflexible. Bien longtemps avant qu'il y ait, à Paris, une université spécialisée dans les maladies psychosomatiques (qui ne s'adresse qu'aux médecins diplômés), les tentatives ont échoué pour comprendre de tels processus. À l'intérieur de notre organisme existe un corps pensant qui réagit aux réclamations de l'esprit. Tous les médecins admettent le rôle important de la nature dans la guérison d'une maladie.

La maladie est l'expression d'un conflit qui divise un être humain. Toute maladie est psychosomatique ; le corps est le reflet de la pensée. La guérison survient une fois le conflit reconnu et résolu. La santé règne alors en reine sur le corps, incapable de réorganiser une vie chaotique. La médecine ne fait que rafistoler un dégât pour une période indéterminée, incapable qu'elle est d'agir sur la matrice désordonnée. Elle ne guérit pas, elle traite et soigne avec l'espoir de guérir.

Hippocrate a été le premier à en avoir fait le constat, il y a quelque deux mille ans. Quelle est donc la différence entre les formes courantes de guérison et les guérisons inhabituelles ou « miraculeuses » ? La différence est sans doute infime et n'existe que dans l'esprit.

Tout le monde est conscient, les médecins comme les profanes, de la complexité étonnante du corps. On continue toutefois de s'obstiner à avoir une vision désuète qui fait du corps une réalité purement matérielle qu'un savant technicien dirigerait de l'intérieur. Parce que nous voyons et touchons notre corps, parce que cette masse de chair nous appartient et que nous l'utilisons d'une manière autonome, il nous apparaît essentiellement matériel. Telle est l'idée inconsciente de l'ensemble des habitants de cette planète.

On a fait, dans les années 1970, une série de découvertes extrêmement importantes concernant une nouvelle catégorie d'agents chimiques appelés « neurotransmetteurs ». Comme leur nom l'indique, ces agents chimiques transmettent des impulsions ; ils agissent dans les cellules comme des « agents de communication » grâce auxquels les neurones du cerveau peuvent communiquer entre eux et avec le reste de l'organisme.

Les neurotransmetteurs sont des coureurs qui partent du cerveau et transmettent à chacun de nos organes les informations suivantes : les émotions, les désirs, les souvenirs, les intuitions et les ambitions. Aucune de ces réalités n'est confinée au cerveau seul. Ce ne sont pas uniquement des phénomènes mentaux, puisqu'elles se manifestent sous forme de messages chimiques. Chaque cellule est touchée par les neurotransmetteurs. Quelle que soit la forme de la pensée, les agents chimiques doivent nécessairement l'accompagner et, sans eux, aucune pensée ne pourrait exister. Penser, c'est donc réaliser une chimie cérébrale qui engendre une cascade de réactions dans tout l'organisme. Nous avons déjà vu que l'intelligence envahit à présent la physiologie et qu'elle a ainsi acquis une base matérielle.

Mine de rien, la clé de l'énigme que nous explorons dans ce chapitre vient d'être révélée. En vérité, aucune découverte plus spectaculaire n'est survenue récemment dans le domaine de la biomédecine.

L'entrée en scène des neurotransmetteurs favorise plus que jamais la mobilité et la fluidité de l'interaction entre esprit et matière... Ceci contribue à combler l'espace qui sépare l'esprit du corps et qui constitue le plus grand mystère auquel l'homme se soit attaqué depuis qu'il a commencé à se questionner par rapport à lui-même.

D'où vient cette faculté de produire des neurotransmetteurs ? Nous voilà arrivé au cœur du problème. Comme l'esprit pensant est immatériel, il a imaginé un moyen de travailler en collaboration avec les molécules de communication. Leur association est étroite, l'un ne pouvant pas exister sans l'autre. L'esprit pourrait-il se projeter dans le corps sans l'aide de substances chimiques ?

En poursuivant l'étude du phénomène des neurotransmetteurs, on réalise que la relation entre l'esprit et la matière s'en trouve simplifiée. La partie du cerveau qui traite les émotions, les amygdales et l'hypothalamus, qu'on qualifie de « cerveau du cerveau », possède en abondance les mêmes substances que celles que l'on trouve dans le groupe des neurotransmetteurs. Ce qui signifie que dans ces zones, les processus de pensée sont nombreux. Ce qu'il y a d'intéressant, c'est que les recherches confirment scientifiquement le rôle primordial de la pensée dans les mécanismes corporels, c'est-à-dire, en fait, dans l'association corps-esprit.

Tous les changements physiques provoqués par la pensée passent inaperçus. C'est pour cette raison qu'on ne peut se rendre compte que le corps est pensant ou qu'on ne peut le percevoir comme un élément de projection de la pensée. Le corps est assez fluide pour refléter tous les phénomènes mentaux. Rien ne peut se mouvoir sans que l'ensemble ne bouge.

En neurobiologie, on a confirmé la théorie selon laquelle le corps et l'esprit appartiennent à des univers parallèles. Des scientifiques, en faisant d'autres recherches, ont découvert, dans différents organes, les mêmes neuropeptides et les mêmes récepteurs. Ce qui veut dire qu'un organe tel que les reins, par exemple, peut « penser ».

Notre esprit n'est pas lié seulement au cerveau. Il communique avec chaque élément de notre corps et se projette partout à l'intérieur de celui-ci. Le corps pensant est bien différent de celui que la médecine traite actuellement.

On pourrait bien scanner le cerveau sous tous ses angles et l'analyser dans sa totalité. On découvrirait alors que toute cellule contient à elle seule le corps en miniature et en son entier. L'intelligence est partout, dans chaque organe, dans chaque fibre et même dans notre propre système immunitaire, dont la fonction essentielle est de nous protéger contre les affections.

Les cellules communiquent entre elles grâce à un échange chimique complexe. Tout ce qui se passe dans notre corps est connu de chacun de ses éléments. Chaque pensée en activité agit et déplace des atomes d'oxygène et de carbone dans les cellules cérébrales. Tout le corps réagit à la pensée. Il est démontré qu'une pensée de bonheur, de joie, de plaisir – et inversement de malheur, de tristesse, de souffrance – nécessite la production de neuropeptides et de neurotransmetteurs. Ainsi, toutes les cellules du corps en sont informées instantanément.

Nos organes « communiquent » entre eux au moyen d'un code aussi complexe que notre langage. Nos poumons, notre cœur, nos reins « pensent » et « parlent » aussi comme nous, dans leur propre langage. Les cellules ont à leur disposition des milliers de substances chimiques parmi lesquelles elles font des choix, déterminent des quantités et envoient à tel ou tel organe.

La grande question, encore une fois, est : « Qui décide du choix de tel ou tel composant ? » La réponse est l'Esprit.

Pour la première fois dans l'histoire, la science reconnaît que l'esprit possède une base solide sur laquelle s'appuyer. Auparavant, elle affirmait que nous étions des machines ayant d'une façon ou d'une autre appris à penser. On commence à admettre, maintenant, que nous sommes des pensées qui ont appris à créer des machines.

La différence entre la pensée et les neurotransmetteurs, c'est que ces derniers sont matériels, alors qu'une pensée est intangible, insaisissable. Par contre, les neurotransmetteurs sont matériels, bien qu'ils soient infiniment petits et que leur durée de vie soit très courte. Le rôle des neurotransmetteurs est de s'harmoniser avec la pensée.

À quoi ressemble le niveau quantique ? Il est l'extension des neuropeptides. Comme ceux-ci sont en communion permanente avec l'esprit, ils réagissent instantanément à ses injonctions. On a découvert des centaines de neuropeptides dans l'organisme. Il ne reste qu'à découvrir que chacune de nos cellules est à même de fabriquer les substances dont elle a besoin.

L'Univers, dans son état naturel, a été assimilé à un magma d'énergie qui aurait été transformé en particules de matière. De la même façon, nous pourrions être assimilés à un magma d'intelligence. Nous sommes des intelligences qui ont appris à se cristalliser sous la forme de particules organiques, précises, merveilleuses et puissantes, que nous appelons « pensées ».

Par sa malléabilité, notre système nerveux peut apprécier la diversité de la vie, qui est infinie et complètement illimitée, ce qui nous permet de nous réaliser au-delà de nos possibilités. Personne n'a reçu une puce cosmique pour s'entendre dire : « Rappelez-vous, vous ne pouvez utiliser que la moitié de votre intelligence et de tous vos pouvoirs. » Personne ne nous a imposé de limites. La vie est un champ de possibilités infinies.

Dès le premier jour de notre existence, nous entrons dans le processus du vieillissement, lequel est régi par notre conscience. Personne n'y échappe. Si nous acceptons la pensée sociale et collective qui circule, qui influence l'ensemble de notre société, il est évident que la maladie aura raison de nous. Attention à la façon dont vous pensez ! Souvenez-vous, vous avez une pensée personnalisée ; qui plus est, personne n'est obligé de mourir malade, on peut tout aussi bien mourir en parfaite santé. Ceci étant, votre vieillissement peut être programmé au moyen de la gestion de votre pensée. En vous programmant vous-même à cette fin – ce que les générations précédentes ont toujours fait –, le but visé devient réalité. Ce genre de programmation ne repose pas simplement sur la pensée ou la croyance. Une attitude positive, une vivacité mentale, une volonté de vivre et d'autres traits psychologiques peuvent prolonger la vieillesse. De cette façon, les personnes âgées peuvent parvenir à rompre le conditionnement social auquel les astreignent les autorités sociales. Changer le processus de vieillissement lui-même est possible, cela dépend de votre intention et surtout de votre détermination.

L'esprit conscient guérirait le malade aujourd'hui s'il avait été diagnostiqué à temps. Si le patient était plus à l'écoute de son corps ou s'il avait tout simplement fait de la prévention en respectant ce dernier par l'alimentation, le choix de ses activités, le contrôle de tous les abus, etc., il resterait en parfaite santé, j'en suis convaincu.

Si les personnes géraient leurs pensées dans les règles de l'art, la maladie serait inexistante. Mais la porte est toujours ouverte, même si elle n'est qu'entrebâillée pour les sceptiques. Beaucoup d'approches en croissance personnelle véhiculent cette théorie ; d'abord traiter le patient et ensuite la maladie. Je crois en cette théorie. Mais j'ajouterais qu'il faut toujours consulter un médecin pour avoir un bilan de santé pertinent, après quoi on pourra entamer le processus d'autoguérison, que nous étudierons plus loin.

Pour être et rester en parfaite santé, il faut avant tout éduquer son mécanisme de pensée au quotidien afin de préparer son avenir avec sagesse, tout en évoluant dans une vie comblée et épanouie.

Le remède le plus efficace est confirmé :
c'est la pensée qui guérit.

Chapitre 3
L'héritage de l'homme
LE PLUS MERVEILLEUX CADEAU DE LA CRÉATION

J'ai abordé un autre aspect intéressant qui explique les raisons du travail qui s'impose à notre évolution, tant dans notre vie spirituelle et émotionnelle que dans notre personnalité. Il est très important pour moi de vous donner plusieurs opinions différentes, d'autres points de vue, d'autres aspects, afin que vous compreniez toute l'importance de vous investir dans cette évolution. Bien sûr, le présent ouvrage porte sur l'autoguérison, ainsi que l'indique son titre ; mais comment pouvez-vous être convaincu de toute cette puissance qui est en vous si ce n'est que mon opinion qui est exprimée ?

Les nouveaux sujets que nous allons explorer maintenant sont l'âme et le mental. J'avoue que lorsque j'ai découvert la subtilité et le rôle important de l'âme et du mental dans notre fonctionnement, j'ai réalisé toute la complexité du mécanisme de l'esprit conscient (notre système de pensée). Cette constatation m'a aussi permis de comprendre plusieurs points caractérisant la puissance des pensées négatives, non dans le but de les excuser, mais plutôt de les considérer sous un autre angle.

Beaucoup de livres aux enseignements venus d'Orient nous ont ouvert l'esprit avec les meilleurs et les pires théories. Avec un nombre aussi impressionnant d'enseignements, il serait tentant de s'enfermer dans une attitude résolument sceptique. Mais avec une telle attitude, on n'avancerait pas du tout vers la solution à la question la plus importante qui se pose à l'homme : la place qu'il occupe dans l'Univers.

Tout au long de leur histoire, les hommes ont généralement cru en un Dieu infiniment bon et pensé que toutes leurs misères et leurs souffrances étaient dues à Sa seule et unique décision. En un mot, nous devions subir notre vie, car elle nous avait été imposée, sans plus. Or, c'est tout à fait le contraire. Le Dieu créateur, le Père tout-puissant a créé la pensée pour qu'à travers elle, nous découvrions aussi la puissance divine qui sommeille en nous tout en comprenant que c'est seulement par elle qu'il nous est possible d'évoluer.

Le message qui a été véhiculé au cours des siècles est variable. Peu importe la race, le rang social ou la nationalité de chacun, le principe fondamental reste le même pour tous (le système de pensée). Depuis deux mille ans déjà, on parle de la puissance de la pensée. Hippocrate a été le premier à en faire le constat. Quelle est donc la différence entre les formes courantes des guérisons inhabituelles ou « miraculeuses » ? La différence est sans doute infime et n'existe que dans notre esprit.

Comment peut-on imaginer, en effet, un seul instant qu'il pourrait exister une voie de guérison différente pour les Occidentaux et une autre pour les Orientaux si cette voie est la même pour tous les hommes d'aujourd'hui ? Pourquoi aurait-elle été différente pour ceux qui vivaient il y a cent ou dix mille ans ?

Les messages sont toujours donnés dans une langue simple et accessible à tous. Les illettrés y ont accès tout autant que les personnes cultivées. Les Initiés ont réalisé eux-mêmes des expériences qu'ils partagent, c'est-à-dire qu'ils ont suivi leur voie intérieure qui les a conduits dans l'orientation d'un monde infini de la conscience universelle.

Ils enseignent aux gens à découvrir et à apprécier leurs connaissances, et même à faire leurs propres expériences, à vérifier par eux-mêmes que leur enseignement n'est pas de seconde main. Aussi, ils partagent leur vécu et non ce qui est arrivé à quelqu'un d'autre. Dès lors, la personne ayant quitté le stade de la croyance atteint celui du savoir ; elle constate par elle-même que ce qui lui a été décrit est bien une vérité qui devient une réalité.

On peut cependant se demander s'il est possible, au milieu de l'agitation du diagnostic du médecin, de mettre en pratique une véritable discipline de son esprit conscient. La réponse des Initiés est catégoriquement affirmative, et Marc-Aurèle l'avait déjà formulée lorsqu'il écrivait : « À tout moment, tu peux te retirer en toi. Il n'y a de retraite plus tranquille, plus paisible et moins agitée pour l'homme que celle qu'il trouve au sein de lui-même. »

Ce monde est le théâtre de l'intellect, dans lequel la science a fait plus d'une conquête et en fera de nombreuses encore. Mais il existe un vaste territoire au-dessus et au-delà du jeu de notre activité mentale, auquel tout le monde a accès. C'est dans cette haute sphère de l'esprit qu'évolue l'être humain, et c'est par cette voie qu'il se réalise. Ayant décidé d'évoluer, il constate que l'énergie de la sphère terrestre est en liaison permanente avec celle de l'Univers ; elle est à sa disposition, avec ses structures solides et complexes renfermant des règles d'or, des ordonnances et des lois. Avec cette découverte, il réalise qu'une nouvelle vie commence.

Cependant, la plupart des hommes éprouvent de la difficulté à croire... en un nouveau mode de pensée. Ce qui paraît étrange en matière de croissance personnelle est discrédité, et c'est seulement le passé qui est glorifié. L'esprit humain ne peut admettre ce qui est connu comme une nouveauté, mais il accepte ce qui a été dit ou écrit par le passé. Il est regrettable de penser que toute maîtrise et toute révélation soient l'apanage des époques révolues. Il serait plus adéquat de rechercher la voie de la sagesse dans les temps présents, au lieu de s'en tenir aux notions anciennes.

Pourtant, une personne, dans sa démarche, ne doute jamais que ses choix personnels soient la preuve que ses croyances sont conformes à la vérité. Il ne faut pas croire sur parole ce qu'on vous dit, mais avoir une ouverture d'esprit nécessaire pour développer votre esprit conscient et, surtout, mettre en pratique les enseignements reçus. La démarche sera alors certainement une méthode bien définie grâce à laquelle celui qui cherche pourra constater lui-même la vérité de ce qu'il apprendra, et cela non par la voie des sentiments, mais par celle de l'expérience. Il existe heureusement plusieurs chemins de croissance personnelle dans lesquels les hommes peuvent marcher d'un pas ferme et assuré, conséquence directe de l'évolution humaine.

La science, en effet, repose sur l'observation et sur l'expérience, et il est vrai qu'il est communément admis que l'expérience est le seul procédé que nous ayons pour nous instruire sur la nature des choses qui sont en dehors de nous. Il est clair que c'est seulement à la lumière de l'information qu'il est possible d'étendre le champ de ses connaissances, tout en respectant les règles et les conditions de l'expérimentation scientifique.

Ainsi, celui qui n'est pas content des propositions de son médecin et qui a conscience qu'il existe une multitude d'avenues possibles se sentira attiré par l'étude d'une méthode de croissance personnelle. Ce n'est pas parce que la science a été à l'origine de tant de folies et de malheurs qu'il faut oublier toute la banque de connaissances qu'elle nous a apportée. Tous les êtres humains ont la même structure physique ainsi que la même composition mentale et spirituelle.

La marque du vrai génie réside dans l'ouverture de son esprit. Dès qu'on annonce une grande découverte dans un milieu déterminé, tous les intéressés sont en émoi. Pourquoi est-il si difficile d'accepter de nouvelles voies de guérison ? Une oreille attentive est l'une des premières qualités que l'on est en droit d'attendre de son médecin, qui est aussi un être de science.

Pope affirmait que l'étude la plus importante à laquelle l'humanité pouvait se livrer était précisément celle de l'homme. Il faut bien avouer que celui-ci se connaît fort peu lui-même. La psychologie, en général, s'applique davantage aux phénomènes de la conscience humaine tels qu'ils se manifestent dans la vie quotidienne ou dans les laboratoires qu'à l'analyse de l'homme lui-même. C'est assez facile à comprendre, puisque la vitesse de l'évolution a changé de cap depuis les vingt dernières années. Aujourd'hui, une nouvelle génération apparaît tous les cinq ans, alors qu'auparavant les générations se renouvelaient tous les vingt ans. On ne saurait en blâmer personne, pas plus les scientifiques que les gens ordinaires.

Le mot même de *psychologie*, qui vient du mot grec *psyché*, veut dire « science de l'âme »... Les savants en ont fait presque exclusivement une science de la partie mentale, uniquement limitée à des phénomènes psycho-physiologiques. Ils ne sont jamais certains s'ils ont affaire à des réactions chimio-physiologiques du cerveau et des tissus nerveux ou à un phénomène indépendant du cerveau et des nerfs. Aucun psychologue indépendant ne peut dire avec certitude ce qu'est la pensée... La plupart des réactions psychiques sont aussi inconnues que le sont les réactions physiques pour d'autres savants. Pour comprendre l'être humain, il faut connaître l'âme, le mental et tout le corps, qui n'est qu'un accessoire pour nous permettre d'entrer en contact avec la matière physique.

L'âme constitue la cinquième partie de la structure de l'homme. L'homme est formé de cinq parties, dont l'âme. C'est l'âme, l'*Atman*, ou, comme certains l'appellent, le *Purush* qui est l'étincelle de la *lumière infinie*, une goutte de l'océan divin. Elle fait un avec l'unité divine. En elle résident toute conscience et toute puissance. Tout ce qui est situé au-dessous de l'âme fonctionne mécaniquement, automatiquement. En fait, tout ce qui existe dépend d'elle. La plus infime des plantes ne vit que par la vertu de l'esprit. Toute la matière humaine disparaît ou est rejetée par elle au cours de son ascension. Comme la nature interdit à l'âme tout contact direct à des niveaux inférieurs, elle est contrainte de revêtir une sorte d'enveloppe qui lui sert d'intermédiaire. Si l'âme ne devait pas intervenir dans la matière, elle n'aurait pas besoin de ces instruments que représentent les différents corps et le mental.

Peu importe à quel niveau elle se trouve, une âme reste toujours égale à elle-même. Ce niveau se mesure particulièrement à celui du mental. Mais, de toute façon, l'âme est issue de Dieu et elle lui est identique en substance... Quoique certaines d'entre elles aient un mental et un corps meilleurs que d'autres, il n'y a pas une très grande différence entre les unes et les autres.

Le docteur Freud n'a même pas effleuré les aspects les plus importants de la constitution de l'homme. D'ailleurs, aucun psychologue ne se risquerait aujourd'hui à aborder le sujet. Tant que l'homme est en vie, on s'intéresse à lui à différents niveaux jusqu'à sa mort. Dès lors, face à cette masse de chair inerte, on se demande ce qu'il est devenu. Aucune réponse n'est apportée... On ne s'intéresse même pas à son mental et à son esprit.

Le mental se divise en quatre parties, qui sont autant de *modes d'action intérieurs,* c'est-à-dire d'attributs, de facultés ou de qualités originels : *Manas*, *Chitta*, *Buddhi* et *Ahankar*.

Le ***Manas*** est la substance mentale en soi. C'est lui qui reçoit et enregistre les informations. Le mental est par lui-même inconscient et inactif, il n'est qu'un instrument qui peut devenir extrêmement sensible et puissant lorsqu'il est animé par l'esprit. Comme tout instrument, il ne peut être utilisé que dans les limites de ce pour quoi il a été conçu. Il a la faculté de créer et d'inventer...

Le mental n'est qu'un instrument qui entrave l'âme et limite ses progrès. Il est cependant indispensable tant que nous nous trouvons dans les régions de la matière. Comme une machine, il est incapable de penser par lui-même, de se souvenir, de vouloir et d'éprouver la souffrance et la joie. Pour qu'il lui soit possible d'agir, il doit être animé par l'esprit, qui est sa puissance motrice. Tout comme le courant électrique peut l'être d'un moteur. Nous avons regardé le corps humain et nous nous sommes habitués à penser que c'était le mental qui l'animait, tandis que c'est plutôt l'esprit, et lui seul, qui soutient l'Univers.

Le mental est un excellent serviteur, mais un mauvais maître. Il est incapable de penser et de raisonner par lui-même et il agit avec une précision automatique, selon l'éducation reçue et le milieu social dans lequel il grandit. Contrairement à ce que l'on croit, il ne s'exprime pas par la raison : apte aux déductions, il n'a pas la faculté d'induction rationnelle et de synthèse. Seule l'âme possède la lumière et peut agir d'une façon indépendante et rationnelle. Mais les hommes agissent davantage comme des robots que comme des êtres évolués et raisonnables. Leur mental les pousse à suivre des voies toutes tracées et ils ne parviennent à s'en détourner que lorsque l'âme se détache, dans une certaine mesure, de l'emprise dominatrice du mental. Le *Manas* accepte ou rejette automatiquement les sensations et transmet ses conclusions au *Buddhi* pour le jugement définitif.

Le ***Chitta*** est la faculté qui prend connaissance des formes, de la beauté, des couleurs, du rythme, de l'harmonie et des perspectives. Il prend plaisir à ces perceptions, et ce qu'il n'aime pas, il le rejette. Les yeux sont les instruments qui lui permettent de recevoir des impressions. L'âme les transmet ensuite au *Buddhi*, et toutes ces réactions se produisent régulièrement et automatiquement, comme des réactions chimiques.

Le ***Buddhi*** est l'intellect lui-même, le pouvoir qu'utilise l'âme comme instrument principal de la pensée. Il exerce sa faculté de discernement et prend des décisions. Puis, il soumet à son jugement les découvertes des deux autres facultés et transmet ses réactions à l'*Ahankar*.

L'***Ahankar*** accepte les décisions des autres facultés, qui lui sont transmises par le *Buddhi*, et exécute ses ordres. Il représente la faculté d'agir du mental. C'est le sens du Moi qui permet à l'individu de se distinguer des autres et d'avoir conscience de ses propres intérêts.

L'impulsion, la force et le courage font mouvoir le mental. C'est dans le noyau de la pensée que naît l'infiniment petit. Dans l'imagination, donc dans l'illusion, et parfois même dans le désir. Les grands scientifiques énonceraient la même chose avec équations à l'appui. Ce qui est différent avec moi, c'est la simplicité avec laquelle je fais part des grandes connaissances.

Le mental est comme le feu, qui est à la fois si nécessaire et dangereux. Il est ainsi un puissant accessoire mis à la disposition de l'âme, lorsqu'il est convenablement maîtrisé... Il n'y a pratiquement pas de limites à la puissance du mental, lorsqu'il est éveillé et entraîné.

Toute agitation, stimulation ou excitation du mental dans l'une de ses fonctions crée des pensées qui prennent forme. Le mental est incapable d'agir autrement et d'émettre des pensées indépendantes.

Tous ceux qui pratiquent déjà leur gestion de pensée dans les règles de l'art jouissent d'une multitude de succès quotidiennement. Une fois que le mental a pris l'habitude de suivre une certaine routine de pensée, il a beaucoup de difficulté à admettre qu'il puisse exister d'autres points de vue.

Il est important de savoir que toutes les parties du mental fonctionnent automatiquement. Jamais aucune d'elles n'assigne de contenu moral à sa propre démarche et n'en calcule les conséquences. Chacune accepte ce qui lui est transmis et réagit sans réfléchir. Aucune partie du mental ne se règle sur les véritables intérêts de l'individu. Elle ne fait que suivre son inclination. En d'autres termes, le mental n'est pas une entité rationnelle, et si une réflexion intervient dans le processus de son action, on peut être certain qu'elle est due à l'influence d'un rayon de lumière de l'esprit.

Les passions rabaissent les hommes et les femmes au niveau de l'animal. Plus leur pensée s'imprègne puissamment d'une chose, plus ils lui ressemblent. Selon le vieil adage : « Dis-moi ce que tu penses et je te dirai qui tu es. »

La gestion de la pensée peut servir au bien autant qu'au mal. Une fois prise, l'habitude de bien gérer sa pensée s'insinue et se fixe au plus profond de l'être. C'est comme une drogue dont on ne peut plus se passer.

Cette méthode rigoureuse et exacte ne demande que de la discipline et, surtout, de l'estime de soi. Simple et directe, elle peut être comprise par l'intelligence la plus ordinaire, et elle est accessible à toutes les classes sociales et à toutes les nations. Un renouveau de spiritualité et une nouvelle ouverture d'esprit font jour actuellement parmi les hommes. À l'heure même où ils entreprennent leur combat pour survivre, la méthode de la Gestion de la Pensée devient l'énergie motrice de leurs efforts. Le succès dans cette voie repose uniquement sur les expériences personnelles.

Changez les pensées et vous changez l'homme.

Chapitre 4
Le bouddhisme

C'EST UN MODE DE VIE...

Afin de mettre les pendules à l'heure, je tiens à préciser que le *bouddhisme* est un mode de vie et non une religion, contrairement à ce qu'on pense généralement. Le bouddhisme rejoint en tout point, dans les grandes lignes, la technique de la Gestion de la Pensée, qui est une application pratique de la loi de l'attraction que j'ai traitée dans mon livre *Les clés du Secret*. Dans le présent chapitre, je présenterai un court résumé des enseignements du Bouddha afin de vous enrichir d'unc grande philosophie qui vous ouvrira les portes de la sagesse et qui confirmera les notions que je vous ai apprises.

Notre esprit et notre corps viennent de la conscience. Ils sont formés par nous-mêmes et notre environnement. On pourrait dire que notre conscience est complice de notre vie. Les connaissances que notre conscience accepte détermine la personne que nous sommes. Toutes les formes de nourritures, les impressions sensorielles et la volition nourrissent notre conscience. Les éléments négatifs tels que notre ignorance, nos colères, notre haine et même notre tristesse entretiennent aussi notre conscience. Nous devons sélectionner le genre de nourriture que nous lui donnons chaque jour. Quand elle est à maturité, elle donne naissance à une nouvelle forme de vie, corps-esprit. Le corps et l'esprit sont des manifestations de notre conscience.

Lorsque notre jugement est juste, nous accédons à la pensée juste. Nous avons besoin d'appuyer notre pensée sur un jugement juste. Et c'est en nous entraînant à la pensée juste que notre jugement s'améliorera. La pensée juste rend les paroles claires et bénéfiques. Elle est nécessaire pour nous conduire sur le chemin de la vérité, du jugement, de l'action et de la parole.

Notre façon d'agir dépend de notre façon de penser, et notre manière de penser dépend des habitudes que nous avons prises à la faveur de notre apprentissage de la vie. Nous avons tendance à être esclave de nos habitudes, même celles qui nous font souffrir, qu'il s'agisse de dépendances, de nos relations et même très souvent de notre travail. Dans le passé, nos ancêtres devaient travailler dur toute leur vie pour assurer leur subsistance. Pour beaucoup, le travail est un comportement compulsif et les empêche d'atteindre une qualité de vie exemplaire et enviable.

Le travail est la source première de la valorisation de l'homme. Bien sûr, il apporte sa récompense par le salaire promis en échange de services. Mais le travail est beaucoup plus que l'argent, c'est la possibilité de se réaliser par la reconnaissance d'un patron, d'un chef, de ses collègues, de sa famille et, surtout, par sa propre reconnaissance, c'est-à-dire la satisfaction d'avoir donné le meilleur de soi. Malheureusement, beaucoup de personnes sont « robotisées » dans leur fonction. Sans aucune motivation ni passion, elles doivent travailler pour satisfaire leurs besoins.

Ici, je fais une parenthèse, bien que le sujet ne soit pas lié à la guérison physique. L'attitude mentale est aussi importante. Un jour, une dame se plaignait de son emploi ; celui-ci la rendait très malheureuse. Ses relations avec la direction et ses collègues étaient catastrophiques. Tout le monde la critiquait. Elle rentrait épuisée le soir, et le matin, son moral était au plus bas. Elle me demanda conseil. À première vue, j'aurais pu lui répondre de changer d'emploi ou de division dans la mesure du possible. Il y avait aussi son âge : au début de la soixantaine, on ne change pas de travail sur un coup de tête. Alors, je lui ai donné quelques affirmations à répéter : « Univers infini, j'aime mon travail aujourd'hui. Univers infini, mes patrons reconnaissent mes compétences et m'apprécient à ma juste valeur, dans le plus bref délai. Univers infini, mes collègues sont heureux en ma compagnie immédiatement et collaborent généreusement à faciliter mes tâches. »

Une petite semaine plus tard, elle me disait que tout avait changé. Elle bénéficiait de la reconnaissance de ses supérieurs, ses collègues étaient aimables, et enfin, elle avait retrouvé le bonheur d'aller au boulot. Sans compter qu'elle dormait dorénavant comme un ange.

Étant récemment en attente au poste de contrôle des bagages à main à l'aéroport, un préposé, me reconnaissant, me dit en me pointant du doigt, avec un beau sourire : « *Les clés du Secret.* » J'ai fait de même. Il retourna vite à son poste à la fin du convoyeur, où tout le monde récupère ses effets, et il me dit :

> *Vous savez que, depuis environ trente ans, je lis des ouvrages concernant la croissance personnelle, la motivation et j'en passe. Aussi, depuis trente ans, je détestais mon travail et mes collègues, mais depuis que j'ai lu votre livre, ma vie a changé. Maintenant, j'aime mon travail et j'apprécie mes collègues. Personne ne me reconnaît. Je suis maintenant heureux. Merci.*

Je n'ai rien fait pour cet homme et je ne ferai rien pour vous, si ce n'est que de vous donner des clés. C'est à vous de vous en servir. Elles sont là, à votre portée. Si vous les laissez enfouies dans votre subconscient, il est possible qu'un jour elles refassent surface et que vous décidiez de prendre votre vie en main... Mais que de temps perdu ! Toutefois, comme le dit un certain proverbe : « Vaut mieux tard que jamais. »

En psychologie, on prétend que pour un équilibre parfait, on doit respecter la loi du 8-8-8. Huit heures de travail, huit heures de sommeil et huit heures de loisirs. Selon vous, y a-t-il une période plus importante que les autres parmi les trois ou si elles sont égales ? Réfléchissez-y !

Le plus important pour atteindre un parfait équilibre est d'être en harmonie avec soi. Nous sommes la source de la communion directe avec la loi de l'attraction. Le *travail* est le plus important. Une personne heureuse dans son travail dort profondément et ne connaît que rarement l'insomnie. Qui plus est, elle profite de chaque instant accordé aux loisirs, dans la joie. Le mot *loisir* ne désigne pas seulement les activités culturelles et sociales. Il comprend aussi les corvées quotidiennes... Le ménage pour madame, par exemple, l'entretien des autos pour monsieur, enfin toutes les activités que chacun pratique pour améliorer sa qualité de vie.

Lorsqu'on est heureux au travail, les nuits de sommeil sont récupératrices et il s'ensuit que les activités considérées comme des tâches, mais qui sont incluses dans les loisirs, s'effectuent dans la joie et le bonheur. La sérénité est au programme de la vie...

Encore une fois, nous remarquons que la loi de l'attraction est toujours de connivence avec chaque élément que nous vivons par nos pensées, qui sont en permanence liées au cerveau, à l'âme et au mental. C'est le résultat de tous ces éléments qui est notre source de liaison avec la loi de l'attraction, et notre devoir est de maintenir notre taux vibratoire à son plus haut niveau. Donc, il faut changer les habitudes négatives en attitudes positives, qui deviendront notre nouveau mode de vie.

LES QUATRE ÉTATS ILLIMITÉS

Dans ce résumé, je suis très loin de vous faire une synthèse sur le bouddhisme. Je fais simplement un petit « coucou », et, une fois de plus, le but visé est juste de confirmer une partie de mon enseignement. Depuis près d'une vingtaine d'années, je transmets les notions relatives à la gestion de la pensée et de plus en plus les preuves s'accumulent. Je vis actuellement par une période d'exaltation, car, comme je le mentionnais dans l'introduction, « les révélations sont confirmées » !

Le contenu de la suite du chapitre est intéressant parce que, une fois de plus, il nous met en ligne directe avec le mécanisme de notre esprit conscient. Celui-ci est un lieu de découvertes constantes et nous permet de nous orienter vers différentes avenues utiles à notre évolution. Les connaître, c'est une chose ; les vivre en toute simplicité, c'est l'apothéose. C'est vivre un bonheur conscient, et cela en permanence.

En pratiquant l'amour, la compassion, la joie et l'équanimité, comme nous allons le découvrir ultérieurement, vous saurez comment guérir les maladies de la colère, de la tristesse, de l'insécurité, de la haine, de la solitude et des attachements néfastes.

Le premier aspect de l'*amour* est *Maitri*, l'intention, la capacité et, surtout, la volonté d'offrir de la joie et du bonheur. C'est instinctivement que l'on sait ce qu'il faut faire ou ne pas faire pour rendre les autres heureux. Il n'y a pas d'école d'amour, on apprend tous à aimer sur le tas. C'est durant la prime enfance, en observant nos parents, que nous enregistrons les premières données de l'amour. Les bisous, les câlins, les gestes tendres, les regards complices, les mots doux qu'ils s'échangent entre eux et plus encore.

La compréhension est le complice de l'amour. Sans elle, l'amour n'existe pas. Il faut avoir une ouverture d'esprit juste, éviter tout jugement inutile et, surtout, les reproches. Nous avons tous besoin d'amour. Il s'agit d'aimer comme on voudrait être aimé. Hélas! beaucoup de personnes ne l'ont pas compris. Elles aiment égoïstement, dans l'attente de l'autre, sans réciprocité. Elles se font désirer, gâter et profitent de la situation pour feindre les bons sentiments afin de faire durer la romance le plus longtemps possible. Pour être aimé, il faut pouvoir aimer, c'est-à-dire comprendre.

L'amour n'est pas le véritable amour sans compréhension. Vous devez comprendre les besoins, les aspirations, les antécédents et la souffrance de ceux que vous aimez. La compréhension ne permet pas au jugement de faire l'analyse de l'autre. C'est avec l'ouverture de l'esprit que le cœur s'ouvre à l'autre.

Nous devons choisir notre vocabulaire et être attentif aux mots que nous employons. L'amour est un mot rempli d'une énergie exceptionnelle et nous devons en comprendre le sens. Le mot *Maitri* a ses racines dans le mot *mitre,* qui signifie « ami ». Dans le bouddhisme, le premier sens du mot *amour* est l'amitié. Nous avons tous des graines d'amour en nous. Il n'y a pas que l'amour de l'autre (conjoint) qui importe : toutes les formes d'amour en font un tout. Lorsqu'on est amoureux, on est amoureux de tout, de la vie, de sa famille, de ses amis, de son travail et même de ses ennemis... pour ceux qui en ont. Le véritable amour apporte toujours de la joie, à soi-même et à ceux qu'on aime. L'amour n'est pas véritable quand il n'apporte pas de la joie des deux côtés.

En regardant la personne que vous aimez, si vous êtes capable de comprendre sa souffrance, son mal-être, ses difficultés et ses objectifs les plus profonds, alors vous êtes amoureux. Dès qu'on se sent compris, on se sent heureux et on est prêt non seulement à recevoir de l'amour, mais aussi à y répondre. Le bonheur, c'est communicatif, l'amour aussi. Pour être amoureux de l'autre, il faut avant tout être amoureux de soi. On ne peut pas aimer si on ne s'aime pas soi-même.

La compassion, c'est un réel souci des autres. C'est savoir écouter, c'est savoir garder le silence, c'est savoir toucher tendrement (une main sur l'épaule), c'est avoir un regard empreint de bonté pour pouvoir soulager la douleur d'autrui. Lorsqu'on est en profonde communication, en profonde communion avec autrui, c'est le réconfort de l'amour ou de l'amitié qui soulagera sa peine.

Une parole, un geste et même une pensée empreints de compassion peuvent atténuer une souffrance. Une seule parole peut changer le cours de toute une vie lorsqu'elle est enrobée de compassion. Elle redonne confiance, balaie le doute et donne des ailes vers un nouvel objectif. Aussi, il arrive qu'on puisse aider quelqu'un à ne pas commettre une erreur, réconcilier des parties en conflit, donner de l'espoir dans une phase difficile, par exemple un deuil. Un simple geste peut suffire à sauver une vie ou à aider une personne à saisir une occasion rêvée. Une pensée peut avoir le même effet, car les pensées sont porteuses d'énergie. Avec la compassion dans notre cœur, nos pensées, nos paroles et nos actions peuvent être miraculeuses.

Il n'est pas nécessaire de courir après le bonheur, la réussite, l'amour : tout vient à point à qui sait attendre. Qui a dit ça ? En poursuivant continuellement de telles ambitions, vous passerez à côté et ne les verrez pas. Obsédé par une joie de vivre extrême, vous ne saurez apprécier un quotidien rempli de mille et une petites occasions que vous auriez pu transmuter en bonheur. Le bonheur fait partie de la joie et la joie fait partie du bonheur.

Cela explique que, très souvent, j'ai des bouffées de bonheur. C'est-à-dire que, pris au dépourvu, j'éprouve un délicieux moment d'une manière inattendue, un moment de bonheur intense sans aucune raison particulière. C'est comme les bouffées de chaleur qui apparaissent à l'âge de la maturité, sauf qu'au lieu d'être incommodantes, elles m'apportent un grand moment d'euphorie. Je vous souhaite de vivre souvent cette expérience ; vous verrez que c'est une sensation inexplicable que seul le bénéficiaire peut comprendre. C'est la magie du bonheur extatique.

L'équanimité veut dire « non-attachement », « égalité d'esprit », « non-discrimination » ou « lâcher-prise »... Ce n'est pas de l'indifférence. C'est un amour sans discrimination, comme l'amour d'un parent envers ses enfants : il les aime tous de manière égale.

La sagesse de l'égalité est la capacité de voir tous les êtres humains de la même manière, sans faire aucune distinction entre eux ni entre eux et soi. Dans un conflit, même si on y prend une grande part, on reste impartial, capable d'aimer et de comprendre les parties en cause. Tant que l'on se considère soi-même comme celui qui aime davantage et l'autre comme celui qui est aimé, tant qu'on s'accorde plus de valeur ou que l'on se juge différent des autres, il ne peut y avoir de véritable équanimité. Il faut se mettre dans la peau de l'autre et le comprendre sans jugement ; c'est à ce moment que l'amour agit.

Sans la sagesse, votre amour pourrait devenir possessif. En privant la personne que vous aimez de sa liberté, vous opérez sur elle ce qu'on appelle une « prise de pouvoir », et de ce fait, vous ne la respectez pas. C'est pourtant ce que font beaucoup de gens. Ils vivent pour satisfaire leurs désirs et asservissent les autres à cette fin. Ils se retrouvent eux-mêmes dans une prison nommée « amour ». Le véritable amour vous permet de vivre en toute liberté tout en respectant celle de votre bien-aimé. C'est la sagesse!

Le véritable amour est fait de compassion, de joie et d'équanimité. L'amour ne peut se vivre sans tous ces éléments. Cette triade est inséparable. C'est aussi une des clés qui permet de neutraliser parfaitement notre *saboteur*.

En conclusion, *Buddha* vient de la racine du verbe *budh*, qui signifie « s'éveiller, comprendre, savoir ce qui se passe en profondeur, à l'intérieur de soi ». À l'intérieur de nous, il y a cette énergie de la curiosité qui nous conduit à la connaissance. Pourquoi vous fermer à de nouvelles possibilités quand l'avenir vous appartient ? C'est par la compassion que vous arriverez à grandir vers le bonheur.

Nous avons tous un merveilleux trésor caché au fond de nous. Dans le *Soutra du lotus*, un homme cherchait une pierre précieuse. Il parcourut le monde et, finalement, il la trouva dans sa poche... Arrêtez de chercher le bonheur en dehors de vous-même. Il est à votre portée !

La philosophie bouddhique
a pour but d'ouvrir une nouvelle porte,
d'enseigner la connaissance de l'esprit pur
afin qu'un monde de paix et de joie
puisse survenir...

Chapitre 5
Les conditions de la santé

LA SANTÉ EST LA PLUS GRANDE DES RICHESSES...

« Les hommes perdent la santé pour gagner de l'argent et, après, dépensent cet argent pour récupérer la santé.

« À penser trop anxieusement au futur, ils en oublient le présent, à tel point qu'ils finissent par ne vivre ni au présent ni au futur...

« Ils vivent comme s'ils n'allaient jamais mourir et meurent comme s'ils n'avaient jamais vécu. » (Dalaï-lama)

Cette citation nous amène à réfléchir sur ce qui est le plus important pour nous. Vivre au jour le jour ou travailler au-delà de nos capacités physiques et mentales ? La sagesse est de parvenir à un parfait équilibre pour nous réaliser. L'ambition, les obligations et les rêves font que nous dépassons les limites de nos propres capacités. La santé est un tout ; le bien-être physique, mental et social ne consiste pas dans une absence de maladie ou d'infirmité. Atteindre la meilleure santé possible constitue l'un des droits fondamentaux de tout être humain, quels que soient sa race, sa religion, ses opinions politiques, sa condition économique ou sociale, son orientation sexuelle et son mode de vie.

Être en bonne santé n'est pas seulement un état mais un devoir. Ce n'est pas non plus une capacité de survie, mais une créativité toujours en mouvement qui nous rend fier de nous-même. Depuis quelques décennies, plusieurs écoles de croissance personnelle proposent différentes avenues pour un mieux-être mental et physique.

De nombreux auteurs ont traité de la question de l'autoguérison et de la jeunesse durable. La santé étant un potentiel qui peut être actualisé, de nouvelles normes apparaissent.

Le mythe du corps sain est vivace, tandis que la médecine insiste sur le corps malade. La maladie frappe au moment où on s'y attend le moins. Il est clair que le médecin traitant fait tout son possible pour guérir son patient. Pour beaucoup, la maladie octroie des faveurs telles qu'une période de repos rémunérée. Le malade méprise le médecin qui n'a pas compris qu'il s'agit d'un jeu et craint que ce dernier ne devine la simulation. Signalons aussi le cas des malades imaginaires. Je ne dirai pas ce qu'il en coûtera à ces personnes en vertu de la loi de l'attraction.

La maladie est une forme d'expression qui entre en contradiction avec le courant de la vie et qui peut être « somatisée », « ancrée psychologiquement ». Or, elle relève de la dimension anthropologique. Toutes les expériences négatives sont enregistrées dans l'inconscient et, un jour, elles refont surface pour recevoir leur juste rétribution. Les expériences qui ont engendré de la colère, de la haine, des manques d'amour, du chagrin, une trahison, une agression physique, etc., ont des répercussions sur le corps, qui veut finalement exprimer son mal-être pour se libérer des énergies négatives non exprimées qui l'empêchent de se maintenir en parfaite condition ou de recouvrer la santé. Groddeck, qui a déjà effleuré le sujet, nous conduit plus loin que la simple transposition des pulsions et des conflits de l'inconscience freudienne : c'est le rapport entre la « sensibilité individuelle » et la « sensibilité sociale » qui fait sortir les jeux de rôle archétypaux. Il entraîne ce ballet réglé qu'est le drame de la vie, de la mort et de la survie.

Tout le monde est extrêmement sensible au changement, pour le meilleur ou pour le pire. Le processus qui se met en place est ce que l'on peut appeler une « réaction de l'intelligence ». C'est-à-dire qu'une pensée et une molécule forment un tout comme les deux faces d'une pièce de monnaie. Une fois cette réaction amorcée, il n'y a pas de retour en arrière possible. La pensée est la molécule ; la molécule est la pensée.

Au moment où elle se produit, cette réaction représente toute la réalité intérieure du malade. Ce qui explique que la plupart des maladies sont psychosomatiques, c'est-à-dire créées par le propre schéma de pensée du penseur lui-même.

Comme nous l'avons vu, le corps est capable de penser. Il est bien différent de la conception que s'en fait actuellement la médecine. L'accumulation d'expériences négatives non réglées fait en sorte que le corps tente par tous les moyens de s'exprimer. Son seul et unique procédé est la maladie. Si la personne avait fait le travail nécessaire (généralement, c'est le pardon), toutes les cellules auraient été libérées au fur et à mesure, et la santé aurait été permanente.

La médecine a toujours ignoré ce fait concernant la cause première de la maladie. À présent, on s'aperçoit qu'il pourrait y avoir des possibilités et certains médecins sont déjà convaincus. Depuis déjà quelques années dans l'histoire de la science, l'esprit dispose d'une base solide sur laquelle s'appuyer. On reconnaît de plus en plus que la pensée joue un rôle primordial dans la santé et on s'intéresse à toutes les avenues qui peuvent mener à la guérison.

Une pensée, qu'elle soit normale, objective ou déformée, n'est pas facilement saisissable : ce n'est pas quelque chose de tangible. Par conséquent, les molécules doivent être aussi souples que les pensées, tout aussi légères, vagues, changeantes et indistinctes. La pensée crée et c'est par cette création que notre santé est gérée inconsciemment.

Au moment précis où nous pensons « Je suis en parfaite santé », un messager chimique traduit notre intention, qui n'a absolument pas d'existence concrète dans le monde matériel. Ce messager est en si parfaite harmonie avec notre désir que chaque cellule de notre corps reçoit l'information et fait en sorte de nous maintenir en parfaite santé. C'est impressionnant de savoir que nous pouvons communiquer avec cinquante billions de cellules dans leur propre langage. N'essayons pas de comprendre, acceptons simplement l'évidence.

Le corps humain, considéré comme un petit monde, est une image réduite de l'Univers, du macrocosme, et sa constitution intérieure comporte d'autres macrocosmes plus petits dont chacun a une relation définie avec une partie de l'Univers. Loin d'être isolé du macrocosme, l'être humain a le pouvoir, quand ses facultés sont éveillées, d'entrer véritablement en communication consciente avec les mondes célestes les plus éloignés...

Comme l'explique le docteur Alexis Carrel, la substance cérébrale contient plus de douze millions de cellules qui s'associent entre elles plusieurs milliers de milliards de fois. Chacune des particules de cet immense système travaille en harmonie avec toutes les autres, de telle sorte que l'ensemble se comporte comme une seule unité. Ce système compliqué de matière et de fibres nerveuses est l'instrument de la pensée sur le plan de la conscience physique... Lorsque le docteur Carrel écrit que le cerveau est le « pouvoir le plus colossal du monde », il est en parfait accord avec la réalité. Peu d'hommes se doutent, en effet, de l'étendue de cette puissance.

Ce grand savant, comme beaucoup d'autres qui ont atteint la limite de leurs possibilités dans le domaine de leurs recherches, semblait soupçonner la vérité cachée dans le temple du savoir.

C'est dans l'intention et la motivation, en communion avec l'Univers, que se trouvent les éléments d'une parfaite santé. Un état d'esprit calme et discipliné engendre des énergies bienfaisantes pour l'organisme. Un état d'esprit trouble et non structuré laisse aux énergies négatives tout leur pouvoir pour bien orchestrer une maladie.

Notre esprit conscient a été conçu pour être heureux. Mais, hélas! il est souvent la proie d'émotions négatives engendrées par de nombreux facteurs d'ordre psychologique et physique tels que l'épuisement. Il est certain que lorsque notre corps n'est pas dans sa plus grande forme, notre pensée en est altérée. Premièrement, il faut l'apprivoiser et, surtout, connaître tout son potentiel. Ensuite, il ne faut qu'une bonne dose de détermination et de maîtrise pour le rendre efficace à son maximum, même dans une phase d'abattement.

Nous devons écarter la notion selon laquelle la conscience et l'esprit pourraient former une entité monolithique. Il existe plusieurs types de conscience qui englobent notre monde intérieur, diverses dispositions d'esprit, d'états mentaux et de processus de pensée. Pour ce qui est de la matière, nous sommes en mesure de reconnaître que certains types de conscience nous sont bénéfiques et que d'autres nous sont nuisibles ; d'instinct, on les évite. Il en est ainsi pour notre esprit conscient et sa suite ; en cultivant des pensées constructives, nous en ferons de plus en plus un parfait allié pour la nourriture énergétique de notre corps.

Certaines formes de pensées et d'émotions perturbent notre esprit et produisent des énergies qui deviennent des vibrations négatives. Ce n'est pas toujours évident de saisir l'intention que la pensée émet... Même celles qui donnent au départ un sentiment de plaisir peuvent parfois, à long terme, se révéler négatives et destructrices. C'est notre état mental qui en détermine la conjonction.

Nous devons faire la distinction entre le court et le long terme lorsque nous pensons. Quand ces deux critères entrent en conflit, nous devons donner la priorité au long terme dans nos pensées bénéfiques, c'est-à-dire à ce qui est plus important. Les pensées négatives, nous les annulons. Savoir évaluer les conséquences à court et à long terme nous permet de développer un état d'esprit positif en permanence.

Bien que nous soyons tous égaux dans le désir instinctif de vivre heureux et de dépasser la souffrance, nous avons une plus ou moins grande habileté à penser aux conséquences à court terme. Or, nous avons tous une grande capacité d'imagination : il s'agit de la rendre active. Nous avons tous une pensée personnalisée, souvenez-vous-en !

Encore une fois, toutes les informations lues dans ce chapitre confirment les grands pouvoirs de l'homme en matière d'autoguérison. Encore faut-il savoir penser.

Avoir une ouverture d'esprit, c'est la sagesse de l'âme.

Chapitre 6
L'art de la compassion

L'ART DE LA COMPASSION, UNE SOURCE DE BONHEUR

Nous devons façonner notre esprit avec adresse, patience et persévérance, jusqu'à ce que notre intérêt pour le bien-être d'autrui s'éveille. Il est impossible de bien gérer ses pensées en négligeant la compassion. La force de notre psyché est un tout et on ne peut participer au tout sans la compassion, qui en fait partie.

Il est impératif de cultiver cette attitude importante qu'est la compassion afin de bénéficier au maximum des retombées des énergies de l'Univers et de maintenir ou d'augmenter ainsi son taux vibratoire, qui est en communion avec la loi de l'attraction. Qui plus est, la santé est maintenue, entre autres, par cette formule : énergies de l'Univers = taux vibratoire = loi de l'attraction. C'est un élément incontournable, une nourriture exceptionnelle pour obtenir un système immunitaire parfait et rester en excellente santé.

On arrive à la compassion grâce à une considération raisonnée et à des processus de pensée cultivés systématiquement, ce qui entraîne finalement le développement d'un intérêt profond pour le bien. D'autres émotions accompagnent ce sentiment puissant ; quand elles se manifestent, il n'y a pas de place pour troubler l'esprit, car l'intelligence a la faculté de voir à leur développement. Quotidiennement, il est possible de vivre des émotions troubles ; j'ose croire que ce sont des incidents de parcours qui ne déséquilibrent l'esprit que pour quelques secondes, voire quelques minutes. Avec des pensées compatissantes et une grande bonté, le mental, étant imprégné des situations troubles qui provoquent des réactions violentes, nous laisse indifférent.

Beaucoup de personnes pensent que la compassion s'accompagne d'un sentiment de pitié ou de dédain. La véritable compassion consiste à souhaiter à l'autre autant de bonheur que nous en avons ou encore le courage de surmonter aisément les épreuves. Une empathie véritable peut se manifester en présence de la souffrance d'autrui. Telle est la compassion. Nous avons une part de responsabilité vis-à-vis des autres et nous attachons de l'importance à leur bien-être. C'est la réconciliation avec la Vie, c'est aussi le partage avec son prochain, qui nous fait avancer vers un état d'esprit pur et en harmonie avec les lois de l'attraction et l'énergie de l'Univers.

Il y a une très grande différence entre la souffrance ou la douleur que nous éprouvons, et qui fait partie de notre évolution, et la peine que nous ressentons devant la souffrance d'autrui. Dans ce dernier cas, nous éprouvons souffrance et douleur sans pouvoir rien dire. Même si nous avons une emprise parfaite sur notre vie, il arrive parfois que la négligence prenne le dessus dans une situation qui cause de la souffrance et nous oublions alors de *gérer nos pensées*. En ce qui concerne les autres, il est possible que l'équilibre de notre esprit soit légèrement perturbé, mais c'est tout à fait pardonnable et, avec une bonne détermination, on parvient à bien gérer la situation.

La compassion amène à développer un état d'esprit très puissant dont la valeur spirituelle est incalculable. Plus nous développons la compassion, plus nous sommes capable d'éprouver de l'empathie envers la souffrance des autres. Toutefois, lorsqu'une personne affiche une réussite professionnelle et une vie sociale enviable, lorsqu'elle est comblée par l'amour de son conjoint et de ses enfants, entourée d'une foule d'amis, vivant dans la richesse, elle suscite parfois, au lieu de la compassion, un sentiment de méchanceté et parfois d'envie.

Ainsi, par l'entraînement de sa forme de pensée, des qualités telles que la compassion, l'amour, la vacuité peuvent être développées. Bien que ce travail demande quelques efforts, une fois qu'un certain point est atteint, il devient spontané et naturel d'avoir de la compassion. Par votre gestion de la pensée, il est évident que vous développerez aussi la compassion, parce que les deux forment un tout. La gestion de la pensée ne va pas sans la compassion. En cultivant une qualité, on en cultive plusieurs qui s'y rattachent. On n'a nul besoin d'efforts supplémentaires, la compassion devient naturelle.

Par exemple, si nous interrompons notre entraînement physique, nous devrons ensuite le reprendre pratiquement à partir du début pour pouvoir retrouver le niveau précédemment atteint, lequel demandera, encore plus de détermination et de courage. Je me permets de dire, et je l'affirme, que dès que nous avons développé notre mécanisme de pensée dans les règles de l'art, nous n'avons plus envie de retourner dans nos anciens schémas. La persévérance est la qualité des gagnants.

Ceci est une *révélation* très importante. Nous devons faire tous les efforts possibles pour développer notre mécanisme de pensée. La raison première, c'est l'amour de soi, l'obtention d'une meilleure gestion de pensée. Les connaissances acquises seront retenues et pourront être activées dans le futur, c'est-à-dire dans votre prochaine vie.

Pour développer notre compassion jusqu'à son niveau suprême, la réalisation de la vacuité est indispensable.

Par nos expériences personnelles, nous savons bien quand notre esprit est dans un état de confusion, d'incertitude et de mal-être. Même de courts moments de vie peuvent se révéler douloureux. Lorsque nous avons développé notre mécanisme de pensée par une bonne gestion, la sagesse s'y installe. Alors, les épreuves, même les plus grandes, sont vécues avec détachement et compréhension. Il est donc important de renforcer notre sagesse en cultivant en nous la vacuité.

La vacuité consiste à avoir une conscience autonome et indépendante. Pour parvenir à une conscience autonome, vous devez développer votre compassion au maximum, selon votre cœur et votre âme, en ne vous fiant que sur vos propres idées de la valeur que vous attribuez à la souffrance des autres. Quant à l'indépendance de la conscience, elle suppose que votre pensée toute-puissante peut intervenir dans la souffrance d'autrui en lui inspirant des pensées de courage, de paix, de confiance, etc., selon les cas. En contrepartie, en aidant autrui à distance par vos bonnes pensées, votre souffrance sera atténuée et vous éprouverez une certaine joie dans votre cœur.

Dans vos formulations, la désignation du destinataire à qui vous offrez vos pensées doit être bien précise. Lorsque c'est pour un groupe ou plusieurs personnes, il faut trouver la désignation juste. Quoique l'Univers se base toujours sur l'intention du cœur, la précision accélère le transfert de vos énergies.

Les interactions avec les autres deviennent alors des catalyseurs qui nous incitent à développer naturellement notre compassion envers eux. La véritable compassion démontre l'intensité et la spontanéité de l'amour, du don de soi. L'offrande correspond toujours à nos moyens et à nos possibilités. C'est cette attitude que nous devons développer envers tous les êtres. Quand nous y parvenons, nous vivons la compassion.

Le cœur rempli de compassion, d'amour et de générosité exemplaire, nous sommes prêt à aider les personnes qui souffrent, que ce soit momentanément ou en permanence. La souffrance est un cercle vicieux pour beaucoup de personnes : soit qu'elles n'ont pas la vie facile et qu'elles s'acharnent depuis longtemps contre le sort, soit que leur personnalité est faible et qu'elles n'ont pas le sens de la débrouillardise, soit encore que, malgré tous leurs efforts, la chance les a carrément abandonnées. La vie est remplie d'expériences qui ne sont pas toujours heureuses, de la renaissance à la renaissance que nous nommons la mort, dont nous sommes tous prisonniers.

La souffrance ne se limite pas à notre situation présente. Selon la doctrine bouddhique, notre situation actuelle, en tant qu'être humain, est relativement confortable. Néanmoins, de graves déboires nous attendent dans l'avenir si nous ne combattons pas notre saboteur et que nous ne développons pas la compassion. Grâce à celle-ci, nous remplacerons nos pensées égoïstes par la générosité, en évitant surtout de rechercher exclusivement notre propre bonheur et notre propre salut. Efforçons-nous naturellement de développer la sagesse.

Adopter un comportement vertueux, c'est faire fonctionner son esprit et y apporter toute son attention, comme l'artisan à son travail, et cela, au quotidien. Le processus par lequel on ouvre son cœur n'est guère différent. Il n'existe pas de méthode secrète pour faire naître la compassion et l'amour. Nous devons façonner notre esprit avec adresse, patience et persévérance, jusqu'à ce que s'éveille notre intérêt pour le bien-être d'autrui.

Il faut se débarrasser de toute partialité pour éprouver de la compassion envers notre prochain. Notre regard sur autrui est gouverné par notre saboteur, qui émet des jugements injustes. Lorsque nous éprouvons une hostilité ou recevons une menace de la part d'une autre personne, nous ressentons du mépris et de l'aversion à son endroit. L'amour que nous entretenons pour ceux que nous apprécions se mêle à des émotions comme l'attachement, qui donne un caractère passionnel à la relation. Quant à ceux que nous n'apprécions pas, ils nous inspirent des jugements négatifs comme la colère, l'indifférence ou le mépris. Pourtant, notre compassion devrait être égale aussi bien envers les personnes que nous aimons qu'envers nos ennemis.

Pour être authentique, la compassion se doit d'être inconditionnelle. La sérénité permet de dépasser toute discrimination ou partialité. Il faut toujours garder en tête la fragilité de l'amour et de l'amitié, puisque rien ne nous assure de la pérennité de ce lien. De telles réflexions nous font prendre conscience de notre grande partialité et troublent notre foi dans l'immuabilité de nos attachements.

La compassion est l'essence même de l'ouverture du cœur, et nous devons la cultiver sans relâche, tout au long de notre quête. La sérénité vient à bout de nos malheurs et donne à notre vie la force d'embrasser des expériences à vivre. Lorsque nous vivons naturellement la compassion, le don de soi envers autrui, il est également important de pratiquer en parallèle le développement de la patience. La patience et la tolérance constituent les deux principales conditions du développement de la compassion.

En cultivant la compassion, et une fois que cette pensée devient active, votre attitude envers les autres se transforme. Avoir un regard compatissant pour les autres entraîne une ouverture vers eux. Même si l'autre se montre inamical ou méchant, cela vous laissera indifférent parce que vous l'aviez approché avec un cœur compatissant. Quoi qu'il en soit, vous resterez serein devant cette situation qui vous fait comprendre que votre ami n'en était pas un, un point c'est tout. La blessure laissera une cicatrice, mais votre sens de la compréhension saura la résorber très rapidement et la remplacer par de la compassion pour cet être en état de souffrance.

Souvent, les gens attendent de l'autre qu'il fasse le premier pas lors d'un conflit ou d'une mésentente. J'estime qu'ils ont tort. Cette manière d'agir est propre aux personnes peu évoluées dont l'âme est assez basse. Elles dressent une barrière et la situation conflictuelle risque de se prolonger longtemps, surtout si l'autre est blessé et s'enferme dans la bouderie. En fait, affrontez l'autre avec dignité, laissez les faux-semblants de côté et rencontrez cette personne avec humilité. C'est toujours l'orgueil qui nous empêche de faire les premiers pas. À moins que vous n'ayez envie de profiter de l'occasion pour mettre un terme à cette relation. De plus, il est clair que la situation est plus délicate quand elle est d'ordre familial. La vie nous joue parfois de vilains tours, par exemple des revers de fortune. Nous nous exposons à bien des pertes dans le cours d'une vie, mais la compassion est une richesse qui est inépuisable et, en plus, elle donne du bonheur.

Il y a des gens qui n'ont aucun don de sympathie, même avec leur conjoint ou un proche. Elles sont égoïstes et individualistes. Or, même envers ces personnes, il est encore possible d'éprouver de la compassion afin que l'amour leur soit bienfaisant. Ils se fermeront peut-être à vos sentiments et à vos explications. Laissez tomber ! Un jour, le temps fera en sorte que la graine semée profitera et donnera ses bienfaits. Vous n'avez rien à vendre, vous avez seulement une proposition à offrir.

On a la preuve scientifique que tous les bienfaits de l'amour et de la compassion jouent un rôle décisif dans la guérison.

La compassion : amour, altruisme, vacuité : c'est la santé.

Chapitre 7

Le bonheur !

LES GENS HEUREUX SONT TOUJOURS EN PARFAITE SANTÉ !

La première recette de la santé, c'est le bonheur. On ne naît pas heureux, on apprend à le devenir. Cela dit, j'ai fait une synthèse sur le sujet afin que vous décidiez à compter de maintenant de tout mettre en œuvre pour le vivre pleinement, et cela pour une seule et unique raison, c'est que vous êtes la personne la plus importante. Faites-le par *amour* pour vous.

Demandez au Dalaï-lama s'il est heureux ; il vous répondra « oui » sans hésiter, car le bonheur est, selon lui, le but de toute notre existence. Je suis entièrement de son avis, et moi aussi, je suis heureux, et cela dans toutes les circonstances de ma vie. Bien que parfois, comme tout le monde, je me retrouve dans des situations qui dominent négativement mon quotidien, je ne les laisse pas gâcher même le plus petit moment de ma journée. Je mets donc en pratique mon enseignement (Gestion de la Pensée, *Les clés du Secret),* je gère la situation du moment et, malgré tout son côté négatif, je reste heureux en permanence.

À la naissance, le cerveau est immature. Plus le bébé vieillit, plus son cerveau vieillit aussi, et l'intégration de l'enfant dans la société devient de plus en plus complexe parce qu'il doit prendre sa place dans ce monde inconnu. Instantanément, une sensation d'isolement se crée en lui et, petit à petit, il prend conscience de ses limites. Naturellement, la formation de son identité se poursuit de l'enfance à l'âge de jeune adulte à travers ses expériences (leçons de vie) et au contact du monde. La vraie vie, quoi ! La perception de soi est le produit des représentations intérieures, qui, pour beaucoup, sont basées sur les relations parents-enfant et, pour d'autres, sur des échanges précoces avec des personnes qui ont occupé très tôt une place importante dans leur vie.

Beaucoup de psychologues contemporains estiment que l'expérience précoce de « l'unicité » intègre le subconscient et que, à l'âge adulte, elle imprègne l'inconscient et les fantasmes les plus intimes. Ils pensent que lorsqu'on est amoureux, la fusion avec l'être aimé fait écho à l'expérience de la fusion avec la mère dans la prime enfance. Cette sensation unique se recrée, comme si tout était possible. Une telle sensation reste sans équivalent. Il est aussi possible qu'une partie de nous-même veuille régresser vers un état antérieur, un état de félicité exempt de toute sensation d'isolement ou de séparation.

L'esprit penseur a lui seul le pouvoir de créer le bonheur. Pour les Occidentaux, le bonheur reste toujours une notion impalpable. Le mot même est construit à partir du radical « heur », dérivé du latin *augurium,* qui signifie « chance bonne ou mauvaise ». En Occident, le bonheur serait un bienfait mystérieux pour ainsi dire « tombé du ciel ». Alors comment serait-il possible de le développer par la pensée ou l'esprit pensant ?

En nous imposant une certaine discipline intérieure, nous transformons notre personnalité, notre tempérament, nous assouplissons notre caractère ; nos propres valeurs se métamorphosent ainsi que nos conceptions et notre manière d'être dans l'existence. Exercer l'esprit ne consiste pas seulement à cultiver l'intellect, mais aussi le cœur, au sens propre du mot tibétain *Sem,* qui s'approche de « psyché » ou « âme ».

Il est vrai qu'une discipline intérieure repose sur une grande quantité de méthodes, aussi variées les unes que les autres. Peu importe la méthode, il faut commencer par identifier la souffrance et ses dérivés. On passe ensuite à l'action pour éliminer la souffrance et développer le bonheur.

En psychologie, on estime que peu importe le capital alloué par la nature, on peut travailler sur le facteur mental pour le développer de plus en plus. C'est pourquoi le bonheur quotidien dépend largement de l'attitude que le penseur gère selon les circonstances. La sensation d'être heureux ou malheureux dépend de notre perception et de notre capacité de nous satisfaire de ce que nous avons.

En faisant sérieusement un examen de conscience sur la forme de nos pensées et sur les émotions les plus impulsives que nous entretenons, nous constaterons qu'elles perturbent notre sérénité et qu'elles trahissent presque toujours nos mécanismes de projection mentale. Qu'est-ce que cela signifie exactement ? La projection mentale résulte d'une puissante interaction émotionnelle entre nous-même et les buts convoités, qu'il s'agisse d'êtres ou de choses. Quand nous sommes attirés par une personne, nous avons tendance à exagérer ses qualités. Pour les objets, c'est exactement la même chose : nous nous créons un besoin indispensable et nous nous en convainquons. Ce qui nous rend impatient d'établir une liaison sérieuse avec une personne choyée ou encore de nous procurer très rapidement l'objet de notre passion spontanée. Par exemple, nous sommes portés à croire qu'un ordinateur récent sera plus performant, qu'il répondra à toutes nos attentes et qu'il résoudra tous nos problèmes.

L'inverse est également vrai pour un objet indésirable : nous lui trouvons tous les défauts de la terre pour nous donner une bonne raison de le remplacer. Une fois que nous avons jeté notre dévolu sur un nouvel ordinateur, l'ancien n'a plus d'attrait. Bien qu'il nous ait servi pendant des années, subitement, il est périmé. Cela finit par déformer totalement la véritable vision des choses, mais aussi des êtres. Que pensons-nous de notre patron ou de son associé au caractère insupportable ? Pour ce qui est de nos jugements esthétiques, ils ne sont pas toujours à l'ordre du jour. Et qui sommes-nous pour avoir un regard réprobateur sur la tenue vestimentaire des autres ?

Il a été démontré que des pensées et des émotions raisonnées sont toujours plus objectives que celles qui sont impulsives et que leurs retombées sont beaucoup plus efficaces. Un processus de pensée rationnel, peu influencé par des projections, ouvre une vision différente sur la vie et les décisions à prendre. Je pense qu'une bonne détermination à être heureux facilite l'atteinte du bonheur et l'aptitude à le vivre en tout temps. C'est une question de contrôle de ses émotions et de maîtrise de son mécanisme pensant.

Pour être parfaitement heureux et vivre dans la joie, il importe de recourir à des atouts maîtres qui y contribuent, d'un point de vue matérialiste. La bonne santé est considérée comme un élément de premier plan pour être heureux. Le confort matériel, l'aisance financière et la réussite professionnelle sont aussi essentiels au bonheur ; il en va de même des relations amoureuses et des amis. Admettons-le, nous avons un besoin vital de vivre amoureux, entourés d'amis avec lesquels nous entretenons des rapports d'affection et de confiance.

Il est impératif de prendre le facteur mental très au sérieux, car beaucoup de personnes ne sont pas heureuses. Elles ont misé sur des éléments superficiels au lieu de tabler sur des critères essentiels à leur propre bonheur. La richesse ne garantit pas l'amour ni le bonheur ni la joie ; on peut en dire autant des amis. Sous une abondance superficielle peut se dissimuler un dysfonctionnement cérébral, d'où des frustrations, des querelles inutiles, l'alcoolisme, la toxicomanie et, parfois même, des expériences fort regrettables.

Même si on n'a pas d'autre préoccupation que de vivre heureux dans la joie, la sérénité et la paix de l'esprit, ces éléments sont la garantie d'une vie de bonheur en parfaite santé. Mais encore faut-il s'appliquer au quotidien pour maintenir cette sensation en permanence.

Considérer le mental comme la première cause du bonheur ne suppose pas le refus de tout confort et le déni des besoins physiques. Une fois ces besoins élémentaires assouvis, le message est formel : à quoi bon posséder la richesse, vivre amoureux et être entouré d'un cercle important d'amis si notre santé est défaillante ? Notre plus grande richesse est notre système de pensée, la force de notre esprit pensant. C'est tout ce dont nous avons vraiment besoin pour vivre dans le bonheur.

Le rôle de l'esprit est bien différent de celui de la pensée. En fait, il en va des choses de l'esprit comme des objets : certains sont très utiles ou très nuisibles et d'autres sont totalement neutres. Dans la vie matérielle, nous choisissons ce qui nous est utile et nous nous débarrassons de ce qui est nocif. De même, l'esprit renferme des milliers de pensées, des états d'esprit ainsi que des états d'âme bien différents. Il y en a qui sont très utiles : il faut s'en servir et les entretenir. D'autres sont négatifs : il faut les éliminer, comme nous l'avons vu dans *Les clés du Secret*. Savoir reconnaître son saboteur et le contrôler ou, encore mieux, carrément l'éliminer de son esprit afin de rester positif dans sa pensée, telle est l'attitude à adopter pour conférer aux cellules du corps le taux vibratoire le plus élevé.

Pour devenir heureux et le rester en permanence, il faut apprendre en quoi les émotions et les comportements négatifs sont si nuisibles et pourquoi les émotions positives sont salutaires. Il faut comprendre que les pensées et les émotions négatives ne sont pas néfastes seulement pour la santé d'une personne, mais aussi pour l'ensemble de la société et pour l'avenir du monde entier. Plus vous constaterez les effets des efforts que vous déployez pour contrôler votre pensée, plus les résultats seront satisfaisants. C'est le rôle de chacun, à titre individuel, de sauver notre planète. En alléguant que les autres ne s'impliquent pas parce qu'ils ne sont pas au courant et en reportant votre engagement à plus tard, vous risquez de trop tarder à agir. À ce stade, votre santé et celle de toute la planète est entre vos mains.

En appliquant la philosophie prônée dans la Gestion de la Pensée quand il est aux prises avec une situation négative, le penseur décide d'en changer le cours par des affirmations. Inversement, s'il veut qu'un événement se produise, le penseur *décide* dans les règles de l'art du but à atteindre.

De même, si l'on désire être heureux, on doit *décider* des conditions ou des besoins requis avec une certaine logique. Il faut savoir s'écarter des causes de la souffrance. Ce principe de causalité est de toute première importance. Il faut passer en revue les états mentaux que nous connaissons pour les classer en vertu d'un seul et unique critère : mènent-ils ou non au bonheur ?

Par exemple, prenons la colère. Il est clair que cette disposition d'esprit détruit le socle du bonheur. Mais, pire encore, c'est la graine d'une maladie que je contracterai plus tard. Il suffit de se nourrir de la colère ou de la rancune, de se gorger de haine pour que tout le monde vous paraisse hostile. Donc, votre taux vibratoire influence votre système immunitaire, et vous donnez ainsi à la maladie toute la puissance qu'il lui faut pour s'installer dans votre organisme.

Ainsi, quand je reçois une nouvelle tragique ou que je vis une situation susceptible de me mettre en colère, j'évite immédiatement, à tout prix, d'entrer dans le jeu de mon saboteur. Je préserve mon esprit de toute vibration négative afin de maintenir mon bonheur constant et, surtout, de toujours garder mon taux vibratoire à un niveau élevé. J'ignore la haine. Je suis parvenu à l'absence de haine grâce à une pratique progressive. Ce n'est pas arrivé du jour au lendemain. On ne naît pas heureux, on apprend à le devenir.

Combattre les pensées négatives permet de comprendre comment fonctionne l'esprit humain. Il est aussi complexe qu'il est doué. Il est capable de trouver des solutions à tous les problèmes et de transformer des situations difficiles en de plus agréables. Il a aussi la faculté d'adopter une quantité de points de vue variés, qui lui fourniront différentes pistes de solution.

Une attitude malsaine coïncide avec des comportements fauteurs de souffrance. À l'inverse, un comportement sain, lui, conduit au bonheur. Il faut transformer la perception que nous avons de nous-même au moyen de l'apprentissage et de la connaissance. Voilà un changement qui aura un impact très réel dans notre propre évolution ! L'utilité majeure de la connaissance et de l'éducation est de nous aider à comprendre l'importance d'agir plus sainement et de nous apporter la discipline de l'esprit. Hélas ! Cet aspect n'est pas celui que la société met le plus en valeur.

Pourtant, le bon usage de l'intelligence et du savoir est bel et bien d'arriver à opérer des changements de l'intérieur afin de faire épanouir sa gestion de la pensée.

Le bonheur au quotidien dépend strictement de notre attitude. Notre sensation d'être heureux ou malheureux dépend seulement de notre perception et de notre capacité de nous satisfaire de ce que nous possédons. Nous n'avons pas à regarder dans le jardin du voisin pour évaluer son propre bonheur ou sa propre chance : nous avons seulement à en prendre conscience.

Nous n'avons aucune assurance d'être encore là demain. Cependant, c'est sur la base de l'espoir que nous construisons notre avenir. La ferme résolution de devenir heureux participe grandement à sa réalisation lorsqu'on en prend la décision. Choisir consciemment de se tourner vers la gestion de ses pensées comme un but qui en vaut la joie, voilà qui peut profondément transformer l'existence, car alors, automatiquement, les lois de l'attraction seront actives dans votre vie.

Le bonheur est en vous,
c'est à vous de le concrétiser.

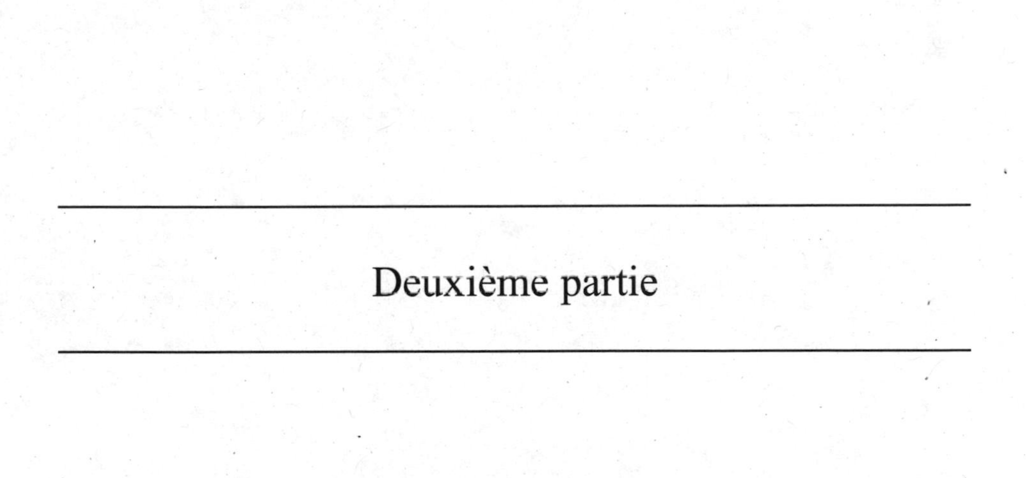

Deuxième partie

Chapitre 8

L'autoguérison !

POSSIBILITÉ ET PUISSANCE DÉMESURÉE DE RECOUVRER UNE SANTÉ PARFAITE

Enfin, nous voilà dans le vif du sujet du présent ouvrage. Depuis le début, j'ai donné une foule d'informations pour en démontrer le sérieux et sa véracité. Il est trop facile de ne pas croire à l'autoguérison, comme il est difficile de s'investir dans une démarche pour recouvrer la santé, que se soit par la médecine traditionnelle ou la médecine holistique. Les explications partagées ont pour objectif d'établir un lien de confiance entre vous et moi, afin que vous sachiez qu'à l'intérieur de vous résident toutes les possibilités et qu'il ne dépend que de vous de les activer.

L'autoguérison se définit comme la capacité de corriger spontanément par la pensée les erreurs commises dans l'énergie du corps. C'est un processus complètement fermé sur lui-même. En résumé, c'est la respiration de la paix entre l'esprit conscient et le corps.

Lorsque l'esprit conscient est perturbé, il déclenche une guerre dans les cellules du corps. Celle-ci est à l'origine des maladies. Le corps envoie alors de nombreux signaux pour faire savoir qu'un conflit est en cours. La médecine intervient ensuite pour rétablir le bon ordre dans les cellules.

Il est clair que la conscience d'un patient le guérirait si la maladie était diagnostiquée à temps. Puisque des années de stress ont endurci son esprit conscient, sa confiance personnelle est hypothéquée. Il est alors plus facile de laisser la place à la médecine que de se prendre en main.

La perspective de devenir une personne bien portante en se servant de ses propres pouvoirs est très encourageante. Cependant, la personne qui lutte contre une maladie, aujourd'hui, est à la merci de la science et, trop souvent, elle sert de cobaye à la médecine. Heureusement qu'il y a eu des cobayes et qu'il y en aura encore, car, grâce à eux, la médecine a progressé.

Cela dit, la responsabilisation de chaque personne est très importante pour guérir. En emmagasinant des connaissances au cours de notre vie, nous nous préparons, dans un premier temps, à éviter la maladie ou, le cas échéant, à la combattre. Une personne aussi prévoyante vivra très heureuse toute sa vie, et son corps n'entrera pas en conflit avec son esprit.

La paix règne entre l'esprit conscient et les cellules du corps. Leur fonctionnement est harmonieux et c'est là un processus naturel de la vie. Chaque fois que le corps est envahi par un microbe, une bactérie ou un virus, il le combat le plus souvent avant qu'il ne prenne de l'ampleur. Or, notre système immunitaire perd toutes ses capacités de défense quand nous vivons un conflit intérieur.

Il faut se rappeler que la paix intérieure est la norme première du bonheur. Les psychiatres et les sociologues partent du principe que l'homme moderne est partagé dans son psychisme, notamment par les troubles liés au stress : la panique, l'anxiété, la dépression, la fatigue chronique, la maladie de la hâte, le rythme et, surtout, la performance au travail. En plus du poids des responsabilités, la vie sociale trépidante déstabilise le rôle premier des cellules, des molécules et des atomes, qui sont aussi pensants que nous et communiquent entre eux. Beaucoup de personnes sont convaincues qu'il est normal d'éprouver des conflits internes. Nous ne sommes pas obligés d'être ou de devenir malades pour être en harmonie avec les autres ou faire partie d'un clan de la société. Notre corps est normalement constitué, et rien ne peut empêcher la conscience de guérir une maladie, quelle qu'elle soit.

Confronté à la maladie, nous devenons prisonnier de notre corps, et c'est insupportable. Même avec la plus grande détermination, la motivation et les connaissances, il est difficile de changer certaines habitudes de vie. Toutefois, nous ne pouvons nous dispenser d'apprivoiser notre nouvelle vie. Malgré toute notre configuration interne et les milliers de mécanismes homéostatiques de notre organisme, il est impératif de changer notre mode de vie.

Le corps est sauvage. Il doit être domestiqué dans ses fonctions vitales, dans ses émotions et aussi dans toutes ses réactions aux impulsions. Il est clair que c'est seulement par l'esprit que les situations négatives peuvent être résolues. Les techniques du corps doivent donc avoir des caractéristiques en étroite résonance avec les bonnes habitudes intellectuelles de penser, de gérer et de « faire » avec le corps.

L'autoguérison est-elle une rumeur ? Pas du tout, si l'on en croit les dernières recherches et l'avis des spécialistes. Bien au contraire, l'autoguérison est ce processus naturel qui se trouve en chacun de nous et ne demande qu'à être activé. Ce devrait être la raison d'être des soins et des traitements divers.

L'autoguérison n'existe pas, ne peut pas exister... Du moins, si l'on se réfère à l'approche générale du monde médical de notre époque. Pourtant, les soins et la guérison ne se font pas obligatoirement par l'intervention du corps médical. Quand on cherche un peu, on découvre que la guérison relève de la cohérence, d'une harmonisation entre un être et son état d'esprit, qui peut parfois être soutenu par un thérapeute ou un produit pharmaceutique prescrit par un médecin. Selon la définition communément admise, « guérir » signifie se libérer d'une maladie et recouvrer la santé. Point final. Est-ce que c'est aussi simple ? Non ! Guérir pose nombre de questions, parfois métaphysiques : réflexion sur soi-même, sens de la vie et de la mort, nature profonde, etc.

Les médecins spécialistes, équipés de scanners, d'ultrasons et de la résonance magnétique nucléaire, portent en effet des diagnostics de haute précision. Ils préconisent les chimiothérapies ou les implants miniaturisés et pénètrent dans les organes et les vaisseaux sans ouvrir les corps. Vive la science! Bravo pour le progrès ! Malgré cette évolution, il y a de plus en plus de personnes qui se tournent vers les médecines alternatives, dites « douces » ou « parallèles ». C'est le retour en force des pratiques traditionnelles ayurvédiques, amérindiennes ainsi que chinoises, du magnétisme et des plantes médicinales. On ne peut résumer le mot *guérir* par une simple définition.

La relation entre le soignant et le soigné est impérative au déclenchement de la guérison. Un médecin ou un thérapeute qui ne croit pas à ce qu'il prescrit ou pratique constate très rapidement que ses patients ne guérissent pas. De même, un malade qui n'a pas la volonté de guérir ne le fera pas. Cette affirmation peut sembler quelque peu excessive, mais, en somme, elle renferme quand même une grande part de vérité.

Tout le monde connaît l'effet placebo. Il y a quelques siècles, la médecine fonctionnait essentiellement de cette façon. Quand on sait que les Égyptiens soignaient avec du sang de lézard, du sperme de grenouille, des excréments d'hippopotame, des dents de porc ou des sabots d'ânesse, on peut légitimement penser que les produits actifs n'étaient pas seuls responsables de la guérison. Lorsque j'ai eu les oreillons à six ans, le traitement recommandé par mes grands-parents était de frotter l'oreillon avec un copeau d'une auge à cochon, et je fus guéri en moins de deux.

Le pape Boniface VIII (1235-1303) souffrait de coliques néphrétiques. Pour le guérir, son médecin personnel, Arnold de Villanova, fit fondre de l'or pur au moment où le Soleil entrait dans le signe du Bélier. Il fit ensuite façonner un sceau rond, tout en prononçant une formule rituelle... L'objet ainsi obtenu possédait un assez fort pouvoir thérapeutique puisqu'il a guéri le pape. Reconnaissons qu'il est difficile d'imaginer un principe actif susceptible d'avoir soulagé, par des voies purement physiologiques, les douleurs du souverain pontife. En fait, le pape a été amené à se guérir, à s'autoguérir, à produire dans son corps, par le biais de son cerveau motivé par la foi, des réactions physiologiques allant dans le sens de la guérison. Aujourd'hui, nos scientifiques concluraient en l'effet placebo !

Paracelse, médecin et alchimiste du XVIe siècle, affirmait : « La crainte de la maladie est plus dangereuse que la maladie elle-même. »

Il nous a fait réaliser l'importance du facteur psychologique dans l'apparition de la maladie, comme dans la guérison. Or, l'effet placebo fonctionne uniquement avec l'esprit du penseur lui-même.

En latin, *placebo* signifie « je plairai », « je flatterai ». Le mot est entré dans le vocabulaire médical au XIXe siècle. Il indiquait alors un remède que l'on prescrivait au malade beaucoup plus pour lui faire plaisir que pour lui administrer un traitement. Il a fallu attendre les années 1950 pour que quelques chercheurs s'intéressent à ce phénomène, qui est encore observé en pharmacologie aujourd'hui.

Le professeur Jean-Paul Escande n'était pas loin de la vérité quand il a écrit : « C'est que l'organisme sur ordre du cerveau possède en lui de quoi corriger tous les désordres possibles. » Le cerveau, la pensée, les croyances, la foi, la motivation, bref, tout ce que fait l'esprit semble bien être concerné par l'effet placebo.

De plus en plus de scientifiques sont convaincus que la santé dépend de la combinaison subtile du mental et de la thérapeutique, ou encore d'une technique, d'une approche, d'une pratique liée au corps. On sait aujourd'hui que le système immunitaire se charge d'assurer notre défense contre les ennemis microscopiques qui menacent notre santé. Or, ce système est influencé par notre esprit conscient.

Récemment, on inventait, à partir du mot « placebo », le terme *nocebo,* qui décrit l'impact négatif que le médecin peut avoir sur son malade. Le placebo est une substance neutre. Le malade y réagit parce que le médecin lui assure l'efficacité du produit. Avec le nocebo, on lui administre un médicament actif, mais les résultats sont nuls. C'est que le médecin l'a prévenu que le médicament était plus ou moins valable, voire même inefficace.

Dans toute personne, il y a deux centres moteurs, la tête et le cœur. La tête sert aux statistiques médicales, alors que le cœur garde toujours ses droits. Depuis quelques années, on a redonné au cœur sa vraie place en y insufflant *l'amour de soi.*

La vie peut endurcir le cœur le plus tendre si la souffrance s'y met. Dans plusieurs ouvrages traitant de l'autoguérison de même qu'en psychiatrie, on affirme que les maladies chroniques sont l'expression symbolique d'une autodépréciation. C'est indiscutable, mais de tels propos peuvent nuire au processus de guérison de plusieurs personnes au lieu d'y participer. La fragilité émotionnelle est assez difficile à vivre au quotidien, même lorsque tout va à merveille. Alors comment s'en sortir quand on est malade ?

C'est toujours l'interprétation faite par le malade qui détermine les valeurs énergétiques de chacune des situations. Que ce soit l'effet placebo, l'effet nocebo, le comportement du médecin à son chevet ou encore l'odeur antiseptique qui règne dans un hôpital qui est en soi bénéfique ou nocif, c'est toujours la pensée qui donne une puissance aux situations. Il y a dans le royaume du silence quelque chose de profond qui procure une vision de la réalité.

On vous le répète inlassablement et, peu importe l'intervenant, maintenant, *vous savez*. Tout est en vous pour une guérison définitive. L'avenue à prendre n'a pas d'importance, c'est celle de vos intentions, c'est-à-dire de vos croyances, qui compte. Vos connaissances mises en priorité par votre système de pensée influenceront vos énergies, qui vous mèneront à la guérison.

L'autoguérison est un CHOIX.

Il VOUS appartient.

C'est à vous de DÉCIDER !

Chapitre 9

Bilan de santé

ANALYSE SÉRIEUSE DES CAPACITÉS PHYSIQUES

n° 1

Il est tout à fait normal de consulter un professionnel de la santé pour savoir où en est l'état actuel de notre corps. Si nous vivons avec des troubles physiques ou des douleurs chroniques qui altèrent la qualité de notre vie, il faut consulter un médecin pour obtenir un diagnostic officiel.

Il est d'autant plus vrai que si nous sentons un malaise physique, nous devons consulter. Ne faisons-nous pas la même chose avec notre voiture quand elle fonctionne mal ?

Déjà, vous avez compris l'importance de la première clé. Mais je me pose la question : avez-vous vraiment compris ? Le plupart des personnes attendent jusqu'à ce que leur niveau de tolérance à la douleur devienne insupportable pour décider d'aller consulter. D'autres s'imaginent, et surtout le veulent profondément, que le symptôme n'est que passager et qu'il partira comme il est venu, sans plus.

Un diagnostic défavorable terrorise une grande partie des personnes malades, qui préfèrent ignorer la vérité plutôt que d'affronter les paroles choquantes du médecin et d'avoir à faire face à des changements de vie importants. On espère toujours le miracle ! Il y a aussi un pourcentage de gens qui, à la pensée d'une seringue ou de l'odeur antiseptique d'un hôpital, se sentent beaucoup mieux ou, du moins, ont l'impression que la douleur diminue, que le malaise s'atténue. Quel bonheur ! Il sont presque guéris !

Arrêtez de vous illusionner ! Votre santé est entre vos mains ! Plus vous retardez l'annonce de la vérité, plus vous laissez la maladie progresser et, peut-être un jour, dominer entièrement votre vie. Alors, le seul rôle qui vous restera à jouer sera celui de *victime.*

Ça aussi, c'est un point important à soulever, car, pendant que la maladie progresse et fait ses ravages, la personne se perçoit bien inconsciemment comme une victime, ce qui est en même temps une forme de chantage psychologique auquel elle soumet ses proches. Ainsi, le malade fait sentir son entourage coupable de sa maladie. *Tu vas me rendre malade... Mes spasmes recommencent... Je devrai être hospitalisé... Tu vas me faire mourir...*

Il y a aussi les malades qui attirent l'attention, la compassion de leur entourage. Un tel est plus attentif et chouchoute beaucoup plus que d'ordinaire le malade, même imaginaire. Inconsciemment, sous ce prétexte, le malade pense : « J'ai tant donné, c'est à mon tour de recevoir. » Pour beaucoup, la maladie les arrange puisque psychologiquement, ils bénéficient enfin d'une forme de reconnaissance.

Mais attention ! Certaines personnes veulent court-circuiter les événements qui ne vont pas avec leurs attentes. Admises d'urgence à l'hôpital pour des examens, elles font face à des résultats nuls. Ainsi, ce n'était qu'une attaque d'angoisse excessive provoquée par une situation qui les contrariait. La personne a perdu le contrôle de ses émotions, qui ont pris momentanément le direction de sa vie.

Je me souviens du jour de mes seize ans : je m'étais acheté une mobylette avec mes économies. Après quelques jours de pratique, en revenant de l'école, je me suis aventuré au centre-ville, à environ quinze kilomètres de la maison familiale. Au retour, j'ai annoncé mon exploit à ma mère avec fierté. Elle n'a rien dit. Le samedi et le dimanche, je suis allé me balader en ville, à la découverte de la grande liberté.

Le dimanche soir, vers vingt et une heure trente, comme je rentrais à la maison, j'ai vu ma mère qui faisait les cent pas dans le couloir.

Elle était en grande difficulté respiratoire. Mon père travaillant à l'extérieur, je lui ai proposé de l'accompagner à l'urgence en taxi. De peine et de misère, elle s'est habillée et nous sommes partis.

Après les examens habituels, le médecin est venu me voir et m'a demandé si ma mère avait des problèmes psychiques. « Non, lui ai-je répondu, pas à ma connaissance. – Votre maman est en parfaite santé, m'a-t-il dit, mais elle éprouve actuellement une contrariété non exprimée, vous devriez voir avec elle... » Au retour, dans le taxi, je lui ai dit que je vendrais ma mobylette. J'avais compris deux choses. La première, que je finirais par me tuer avec cet engin, car malgré la faible force du moteur, je défiais le vent qui me grisait l'esprit et je voulais toujours aller plus vite. La deuxième, que je rendais ma mère folle d'inquiétude. Après une bonne nuit de sommeil, maman était à nouveau heureuse, et moi, fier de ma sage décision, car j'aimais la vie et je voulais vivre.

Revenons à l'autoguérison. Votre santé dépend de ce que vous donnerez comme information à votre médecin. Plus les détails seront précis, plus vous faciliterez la décision qu'il devra prendre et la démarche qu'il devra vous proposer. Plus vite vous saurez ce que vous avez, plus vite vous serez sur pied et meilleur sera votre état psychique, au lieu d'être le plus souvent en phase trouble.

Quand nous avons un problème avec notre voiture, nous donnons toutes les explications possibles à notre mécanicien pour que celui-ci résolve rapidement et à peu de frais les dysfonctionnements de votre véhicule. Nous tenons beaucoup à ce que notre voiture soit toujours en parfait état, pour notre confort et aussi notre sécurité. Pourquoi ne pas en faire autant avec notre corps ? N'est-ce pas le véhicule de notre vie ? C'est au volant de notre voiture que nous en avons entièrement le contrôle. Notre pensée est le moteur de notre corps et de notre vie.

En cas de bilan de santé négatif, informez-vous de ses tenants et aboutissants. Cela veut dire que vous devez connaître votre actuel état de santé, à titre préventif ou en manière de préparation aux tests diagnostiques et au travail du chirurgien. Posez à votre médecin toutes les questions afin d'être rassuré, d'une part, et de connaître, d'autre part, la marche à suivre à l'avenir ainsi que les conséquences de la décision à prendre.

Toutes ces réponses auront une influence importante sur l'activité de votre esprit conscient, car il réagira et procédera au déclenchement des processus cellulaires en fonction des informations reçues.

Tout médecin admet le rôle prépondérant de la nature dans la guérison d'une maladie. « Hippocrate a été le premier à en faire le constat, il y a quelque deux mille ans. Quelle est donc la différence entre les formes courantes de guérison et les guérisons dites spontanées dans le langage d'aujourd'hui ? » La différence est énorme entre les deux. La première guérison est due à la science et au savoir du médecin traitant, alors que la deuxième est due à la forme pensée du malade et à toutes son implication. »

Le seul organe existant pour une guérison spontanée est la pensée. La médecine n'a aucune explication à donner dans les cas de guérison spontanée, quoiqu'elle sache que le patient y a joué le premier rôle. L'admettre, c'est reconnaître tout le potentiel de l'Homme et se mettre à dos la pharmacologie.

Le processus naturel de la cicatrisation d'une coupure, de la coagulation du sang ou un os brisé se ressoudant naturellement sont des phénomènes invraisemblables. Cependant, si la guérison échoue, comme c'est le cas pour les hémophiles, la science moderne est incapable de reproduire la fonction détériorée. On prescrit des médicaments qui suppléent à l'absence de facteur coagulant dans le sang, mais leurs effets seront temporaires, artificiels et entraîneront de nombreux effets secondaires gênants. Les cellules du corps, nous devons l'admettre, pensent entre elles. C'est un fonctionnement qui leur est propre. Dès que l'Homme aura suffisamment apprivoisé le développement de son esprit pensant, il saura se guérir naturellement et, alors, adieu pharmacologie. Le rôle du médecin se limitera au diagnostic.

Il est évident que, pour entamer un processus d'autoguérison, il faut au préalable le diagnostic du médecin. Selon ses connaissances, le patient entreprendra la marche à suivre pour s'autoguérir et attendra le déroulement de la stratégie médicale.

Notre corps physique,
c'est le véhicule de notre évolution.
Notre esprit conscient en est le moteur.

Chapitre 10

L'acceptation

LE PREMIER PAS VERS LA GUÉRISON...

🗝 n° 2

J'ai déjà abordé la question de l'acceptation dans mon dernier livre, *Les clés du Secret.* Je reviens sur ce sujet à cause de son importance pour la guérison. On ne peut pas entreprendre une démarche de guérison, peu importe le chemin – médecine traditionnelle, médecine alternative ou autre –, sans passer par l'étape primordiale de l'*acceptation*.

Il est clair qu'à l'écoute du verdict du médecin, l'esprit conscient part en chamade avec toute sa série de *pensées négatives.* Le cœur s'accélère, la tension monte, le corps subit momentanément un certain trouble. Avec dignité, nous retenons nos émotions (nos larmes), qui reflètent notre peur. Bien que le médecin mette tout le soin à réconforter son patient, celui-ci reste enfermé dans sa révolte intérieure. *Pourquoi moi ?... J'ai toujours été une bonne personne... J'ai toujours fait de mon mieux... J'ai peur... J'ai mal... Je suis découragé...*

Il est normal qu'il faille un certain temps pour arriver à l'étape de l'*acceptation*. Mais plus le temps avance, plus les cellules infectées continuent leur travail, bien que le médecin ait prescrit des médicaments pour stopper le processus de la maladie avant d'entreprendre des analyses plus approfondies. Il n'en est pas moins vrai que l'esprit conscient continue d'exercer la fonction qui lui a été dévolue il y a plusieurs années par une ou plusieurs situations négatives empreintes de colère et d'autres pensées toutes aussi néfastes à la santé.

On accepte le verdict médical et on réagit sans réfléchir. Notre mental fonctionne selon notre banque de connaissances acquises au fil du temps. S'il n'y avait pas d'informations enregistrées au niveau de l'esprit conscient, alors le mental fonctionnerait à la va-comme-je-te-pousse. Le mental n'est pas une entité rationnelle, et si une remarque intervient dans le processus de son activité, il engendre le fonctionnement normal de son mécanisme selon les données.

On s'étonne de constater que l'action du mental est parfaitement automatique, de le voir tout à coup basculer en sens inverse pour engendrer une série de pensées néfastes pour ternir notre bonheur de vivre. Des informations nouvelles envahissent le mécanisme de pensée, qui obéit dès lors à la puissance de la force la plus facile à exercer : le négatif. La science physique démontre qu'il n'y a pas une seule action du mental qui ne puisse être réduite aux lois de la gravitation de Newton. Il est surprenant de constater que tant d'hommes de science aient tendance à ramener toutes les réactions mentales à la théorie du mécanisme de l'Univers.

Il est clair que tout a un début et une fin. Toute naissance est suivie d'une mort. Adopter une attitude de déni envers elle n'est pas une approche logique. Qu'elle nous plaise ou non, elle est une des données de notre existence. C'est un phénomène qu'on devra vivre tôt ou tard, quel lapsus ! Il y a une très grande distinction entre les personnes qui déclinent l'évidence et ceux qui l'acceptent comme étant la fin en soi : la réaction est très différente le moment venu. En sachant que la mort est suivie d'une renaissance vers une autre dimension et dans un autre corps, nous avons l'assurance de continuer notre évolution. Il s'ensuit que lorsqu'elle survient, le choc est bien différent. L'étape de l'acceptation se fait aisément pour les personnes qui restent et, pour celles qui vivent le départ, la transition se fait en toute quiétude. Si un jour nous affrontons la mort en étant encore en bonne santé, nous serons capables de conserver notre équilibre pour faire le pas vers les « grandes vacances ». En évoluant en spiritualité, nous maîtriserons aisément les angoisses de la mort et partirons dans la paix et la sérénité.

L'acceptation de la mort est un point important dans notre évolution. Son refus relève d'une déformation de l'esprit ou simplement d'un déni de l'évidence. L'esprit est altéré parce qu'il exclut la réalité de la vérité notoire. Pour corriger son comportement, il faut s'informer et chercher à augmenter sa banque de connaissances au lieu de rester ignare sur tous les sujets. On ne peut obtenir la connaissance sans une bonne prise de conscience de son esprit pensant et sans la décision de passer à l'action pour évoluer dans la paix de l'âme.

Nous cherchons tous le bonheur et nous espérons éviter la souffrance ; nous avons tous droit au bonheur. Toutes nos démarches, qu'elles mènent à la réussite ou à l'échec, tendent vers la satisfaction de cette aspiration incontournable. Il en est ainsi pour les personnes qui cherchent la libération spirituelle, que ce soit pour le salut éternel ou la préparation d'un futur karma. Que nous croyions ou non à la renaissance (karma), il est évident que nos expériences de malheur et de plaisir, de bonheur et de déception, sont toutes intimement liées à notre propre attitude, à nos pensées et à nos émotions. En fait, on pourrait croire que toutes sont des décisions de Dieu et qu'on doit subir les afflictions de la vie comme nous étant imposées sans aucune intervention de notre part.

« Arydava (XIe siècle), principal disciple de Nagarjuna, auteur d'écrits fondamentaux du Madhyamika, affirme que la première étape du chemin de la vie consiste à éviter les effets des états d'esprit négatifs et perturbateurs tels qu'ils se manifestent dans notre comportement, afin de nous épargner une renaissance défavorable dans notre vie à venir, ce qui retarderait notre évolution sur la voie spirituelle. » Il est important de développer la connaissance à tous les niveaux pour évoluer dans la sérénité. La principale phase de notre chemin de vie consiste à surmonter les obstacles de toutes sortes afin de maîtriser notre quotidien dans le bonheur et la sérénité.

Il est vrai que nous ne sommes pas obligés de croire à toute cette philosophie de la vie après la mort, qui nous parle de *renaissance*, c'est-à-dire de continuité, alors que le mot *mort* exprime une fin en soi. Dans le cas d'une vie trouble, il est souhaitable qu'il y ait une fin à tout jamais, pour ne pas à avoir à revivre, peu importe les expériences difficiles vécues, une autre vie dans les mêmes circonstances. Je suis d'accord. Cependant, pour mettre un terme final à toute cette vie remplie de déceptions, de malheurs de toutes sortes, de peines, d'abandons, de trahisons, de ruines, etc., l'acceptation est la seule solution. Du même coup, vous nettoierez toutes les cellules infectées par cet amas de pensées négatives qui, depuis des années, alimentent votre esprit conscient et nourrissent, par le fait même, les cellules de votre corps.

Passez maintenant à l'action. N'attendez pas l'événement de la *maladie* pour réagir. De toute manière, que ce soit maintenant ou quand le médecin vous annoncera un sérieux problème de santé, vous devrez de toute façon passer par l'acceptation.

L'acceptation est le premier pas vers la guérison, c'est vrai. Mais il serait faux de dire que c'est le seul. Une autre démarche s'impose avec l'acceptation, et elle ne peut être entreprise tant et aussi longtemps que ce premier pas n'est pas fait ; je veux parler de la démarche du *pardon* !

Une réaction violente chez certaines personnes les a mises en boule, d'autres ont préféré occulter la conclusion du paragraphe précédent. C'est normal ! Voulez-vous la vérité ou seulement un semblant d'enseignements pour vous faire une bonne conscience ? Cette étape est difficile et demande énormément de courage, je sais. Agissez maintenant de façon à profiter au maximum de la beauté de la vie et de toutes ses possibilités.

La façon de procéder est expliquée en détail dans la 21e clé de mon livre *Les clés du Secret*. Si je ne la redonne pas ici, ce n'est pas pour vendre un livre par une astuce de marketing. Recevez ma réponse comme un cadeau, avec optimisme et avec un esprit ouvert. Je vous offre la chance de découvrir les secrets de la loi de l'attraction qui changeront votre vie. Une nouvelle vie commencera. Celle que vous méritez et qui vous appartient de droit divin.

L'acceptation est la CLÉ de la libération !

Chapitre 11

Le silence

L'INTIMITÉ DU PENSEUR !

🗝 n° 3

Silence, je vis !

La pensée prend une seconde à faire le tour de la Terre et à nous revenir. Chaque pensée émise influence notre entourage immédiat. Nous sommes tous liés les uns aux autres et nos propres pensées influencent notre entourage. Si les cellules, les molécules et les atomes n'existaient pas, nous ne serions que de l'énergie dans de l'énergie du même type que celle de la pensée ou de la parole.

La pensée est une vibration extrêmement puissante. Chaque pensée émet sa propre énergie, qui détermine notre taux vibratoire en communion avec la loi de l'attraction. En parlant à votre entourage du diagnostic négatif que vous avez reçu, toutes les personnes qui sont liées à vous, directement ou indirectement – nous sommes tous, en effet, liés comme les fils d'une immense toile d'araignée –, joueront inconsciemment un rôle de premier plan dans votre guérison.

Je m'explique. Vous annoncez à votre famille immédiate la mauvaise nouvelle. Touchée, celle-ci passe par une gamme d'émotions négatives. Ces pensées déclenchent automatiquement de nouvelles énergies vibratoires, lesquelles influenceront l'ensemble de leur personne, pour se libérer ou simplement meubler une conversation. Ces personnes en parleront, elles aussi, aux membres de leur entourage et, en moins de deux, plusieurs personnes émettront des pensées à votre égard. Il n'est pas dit que les pensées émises seront chargées d'énergie positive qui contribuera à votre guérison. Au contraire, il y a de fortes chances qu'elles prennent la forme de commentaires négatifs. *Ce n'est pas drôle ce qui lui arrive. Que va-t-elle devenir ? Je sais que c'est très souffrant, cette maladie...* De plus, elles partageront toutes leurs inquiétudes bien inconsciemment avec nous ainsi qu'avec toutes les personnes de leur entourage.

Cependant, il est important d'en parler à votre conjoint, car lui et vous formez un tout dans l'union énergétique de l'amour. Vous savez qu'à votre demande, celui-ci gardera le secret en toute intimité et qu'il vous accompagnera dans les moments de désespoir, les crises de découragement et les doutes, qui seront parfois si forts que vous aurez envie d'abandonner malgré la grande confiance que vous avez dans l'Univers, la médecine et ses technologies modernes.

Le rôle du confident est important. Vous savez que celui-ci sera toujours à l'écoute, attentif à vos inquiétudes, et qu'il sera à votre disposition durant les jours gris. Se confier, c'est partager sa souffrance, son mal-être, sa peine, ses inquiétudes et plus encore. Un confident est une grande richesse et, au nom de l'amitié, il est possible d'ouvrir son cœur pour ne pas être seul dans la souffrance. L'engagement de votre confident assure la confidentialité de votre secret.

Combien de fois avez-vous été vous-même une personne à l'écoute de l'autre ? Votre compassion a été un réconfort. Vos conseils ont apporté du soulagement. Votre écoute a suffi pour donner à l'autre la confiance dont il avait besoin à ce moment-là. Vous étiez là.

En gérant vos pensées dans les règles de l'art et, surtout, par vos réussites quotidiennes, votre foi en vous sera immense, car vous savez déjà que vous remporterez cette bataille. N'attendez pas d'être aux prises avec la maladie pour décider d'appliquer cette méthode sérieusement, avec détermination. Il vous serait d'autant plus difficile d'apprivoiser le mode d'emploi de votre esprit conscient et, en même temps, de travailler avec le canal énergétique. L'apprentissage fait partie de l'éducation qui renforcera vos capacités d'utiliser toute la puissance des grands pouvoirs qui sont en vous.

Votre cerveau ayant mémorisé toute votre banque de connaissances, vous utilisez différentes avenues pour maintenir votre forme de pensée sur la bonne voie. L'Univers a été créé une fois pour toutes, et nous évoluons à travers lui à chacune de nos pensées. En un mot, tout dépend de la manière dont nous pensons pour déterminer notre évolution présente en préparant déjà celle du futur. La du silence nous met en contact avec notre propre réalité et, surtout, nous apporte les changements nécessaires à notre évolution. Elle nous permet aussi de peaufiner notre quotidien dans l'amour et la sérénité.

Il est sage de réserver la connaissance de cette situation à l'intimité de quelques personnes seulement, pour éviter toutes les émanations d'énergie négative à votre égard. Vous avez surtout besoin d'énergie positive pour nourrir vos cellules.

Rappelons-nous que la pensée collective a aussi une puissance démesurée. Ainsi, si votre entourage est constitué de personnes qui gèrent déjà leurs pensées et vous assurent de leur collaboration, vous pourrez leur demander de prendre part énergétiquement à votre guérison en leur donnant des directives précises. Sinon, vous serez encore mieux seul que mal accompagné.

Le silence, c'est la communion avec l'Univers !

Chapitre 12

Les pensées négatives

UNE EXPÉRIENCE ÉVOLUTIVE...

🗝 n° 4

Que signifie une expérience évolutive à travers les pensées négatives ? Il y a toujours un aspect positif et négatif dans toutes les situations de la vie. Ignorer le négatif, c'est faire preuve d'ignorance ou avoir peur d'affronter la vérité. Nous savons maintenant le rôle important que les pensées négatives jouent sur la santé.

Dans plusieurs de mes ouvrages, j'ai abordé le sujet et je l'ai exploré à fond en décortiquant les pensées négatives pour mieux les contrôler. Je vous ai présenté votre saboteur, votre pire ennemi, qui fait partie intégrante de votre personnalité. En somme, c'est comme si vous étiez deux personnalités dans la même personne énergétique.

À travers mes lectures, j'ai été étonné de constater que d'autres personnes se sont également penchées sur le sujet et que, en fin de compte, les explications sont les mêmes, bien que les versions varient. Les pensées négatives sont et resteront toujours en première position d'un combat sérieux pour atteindre la plénitude, la sérénité, la joie de vivre, la paix intérieure et le bonheur.

Nous avons une très grande capacité d'attirer tout ce que nous désirons par le simple contrôle de nos pensées. Selon certaines recherches, nous serions des êtres électromagnétiques.

Puisque nous existons sur cette planète, nous sommes dans un champ magnétique principalement composé de basses fréquences (taux vibratoire engendré par les pensées négatives) émanant de plus de six milliards d'êtres humains. Nous sommes tous victimes à notre insu de la pensée collective émise sous forme de colère, de haine, de stress, d'inquiétudes et plus encore. Tant et aussi longtemps que nous ne réagirons pas contre cette basse fréquence (les pensées négatives), nous continuerons à en subir les contrecoups.

Le bonheur émet une énergie de haute fréquence et attire des vibrations de bonheur. Les pensées négatives émises sont de basses vibrations et attirent des circonstances désagréables. Dans les deux cas, ce qui nous revient influe sur l'Univers, qui produit notre quotidien par l'énergie qui est à l'image de nos propres émissions vibratoires.

L'Univers fonctionne selon le principe de physique qu'est la loi de l'attraction. Il ne se préoccupe pas de ce que nous désirons ou détestons, il agit selon les vibrations émises par nos pensées. Il est indifférent à nos prières. Pourquoi ? Il ne pense pas, ne réfléchit pas et n'analyse pas. L'Univers est une *énergie.*

La colère, la haine, la culpabilité, le ressentiment, l'inquiétude, le doute, la frustration, le stress, la solitude, voire les plus petits soucis nous rendent de mauvaise humeur dès que nos pensées se situent à l'opposé de la joie. Toutes ces pensées négatives vibrent à une basse fréquence et sont la cause de notre tempérament grognon. Elles vont à l'encontre de notre naturel à haute fréquence.

C'est un cercle vicieux : nos émotions conscientes et inconscientes, que nous considérons comme normales, émettent des vibrations négatives qui entraînent d'autres pensées négatives telles que le découragement. Puisque toutes ces émotions sont de basse fréquence, elles ne vous attirent que des événements de qualité inférieure, vous imposant du même coup une qualité de vie ennuyante et désagréable. Vous devenez ou restez ainsi dans un état de mal-être et votre caractère devient désagréable pour les autres. Ainsi va votre vie depuis que vous laissez le négatif dominer votre quotidien.

Les vibrations négatives, de quelque intensité qu'elles soient, pour quelque raison que ce soit, évoquent une distanciation par rapport à notre réalité. Nous sommes vivants, heureusement. Mais à quel prix ? Les vibrations négatives émises par notre schéma de pensée nous coupent de l'énergie de l'Univers. Les vibrations négatives s'activent quand nous ne sommes pas attentifs à notre saboteur, qui prend un malin plaisir à nous maintenir à un niveau de basse fréquence. Nos désirs les plus profonds, qui sont de joie et de bonheur, ne peuvent pas refaire surface parce qu'ils sont submergés par le négatif, dans la zone de basse fréquence. Tant et aussi longtemps que le négatif dominera votre vie, le bonheur ne sera pour vous qu'à temps partiel ou d'occasion.

La nature essentielle de l'esprit est pure. Nos diverses émotions ou pensées perturbatrices peuvent être occasionnelles ou presque permanentes. Cependant, elles ne font pas partie de la nature essentielle de l'esprit conscient et doivent par conséquent être éliminées pour que son taux vibratoire augmente.

Tous les mécanismes de l'esprit conscient qui découlent d'un fonctionnement erroné sont également dépourvus de la grande complicité de l'Univers dans leur réalisation. Si l'ignorance fondamentale fait en sorte que des personnes stagnent dans le négatif au lieu d'attirer des situations heureuses et positives, c'est que cela fait partie de leur karma et qu'elles sont venues sur Terre pour apprendre à apprivoiser les pensées négatives pour mieux s'en défendre et ainsi augmenter leur taux vibratoire.

Notre ignorance ou notre perception erronée détermine l'orientation de notre vie. Tant que nous resterons dans ce schéma de pensée, qui est une distorsion mentale, notre vie sera caractérisée par les échecs et les déceptions. Or, cette méconnaissance fondamentale est à la racine de toutes nos émotions et pensées négatives. Une fois ce fait reconnu, nous comprenons que tant que nous resterons sous la domination de notre saboteur, il n'y aura de place ni dans notre esprit pour la paix ni dans notre cœur pour la sérénité.

J'ai abordé le sujet de votre saboteur en long et en large dans le livre *Les clés du Secret*. On ne peut se contenter de le faire disparaître ou de prier pour qu'il s'éloigne à tout jamais de notre schéma de pensée. Ce serait trop facile. C'est une véritable guerre qui doit lui être déclarée si vous voulez vous en libérer. Si vous vous repliez dans un état d'esprit neutre, le résultat sera nul et vous serez toujours sous l'emprise de votre pire ennemi, votre saboteur. L'acharnement dans l'effort a pour effet de contrecarrer son influence.

La science confirme qu'en modifiant nos pensées négatives et en neutralisant nos réflexions néfastes pour les remplacer par des pensées objectives, nous modifions la structure et la fonction de notre cerveau. Alors, c'est toute l'idée de base qui prend forme : en transformant son schéma de pensée, on change sa vie. Autrement dit, en s'abstenant d'émettre des pensées négatives et en n'entretenant que des pensées à taux vibratoire élevé, nous améliorons notre qualité de vie. Toute guérison commence aussi par la pensée. Il ne suffit pas de penser à la guérison pour être soigné d'une maladie. Il faut suivre un processus étape par étape pour y arriver.

Les thérapies cognitives préconisent des dispositions d'esprit positives qui agissent comme antidotes des pensées négatives. Il s'agit ici d'une psychothérapie qui a connu un succès croissant au cours des dernières décennies. Son efficacité a été prouvée dans le traitement de toute une série de problèmes courants : la dépression, le stress, le manque de confiance, la peur, la panique, les angoisses, etc. La psychothérapie cognitive repose sur l'idée que les pensées négatives dominent l'esprit conscient de la personne au point qu'elle en arrive à perdre son identité et à se rendre malheureuse. Elle aide la personne à procéder à l'identification systématique et à l'analyse de ces déformations de la pensée afin de pouvoir les corriger. Cette notion de correction devient, en un sens, un antidote aux pensées malveillantes, qui sont la source de tous les malheurs.

Dans ma formation sur la gestion de la pensée, je vous ai fait prendre conscience de l'existence du saboteur. Or, il est intéressant de constater que la tradition bouddhiste enseigne elle aussi l'existence d'un saboteur nommé Mara, le tentateur, le malin, le destructeur, l'opposé de la nature du Bouddha en chacun, parfois personnalisé comme une déité.

Le fait de constater que d'autres approches parlent du saboteur vient confirmer l'importance d'être toujours attentif à celui-ci. Et surtout, de le maîtriser en tout temps et en toutes circonstances, peu importe la personnalité qu'il empruntera pour vous garder dans les bas niveaux de vibration.

Comme vous le constatez, la maîtrise des pensées négatives devient presque un art en soi. C'est avec l'entraînement qu'on en devient maître et qu'on les contrôle en tout temps.

Refuser l'existence de son saboteur,
c'est se mentir à soi-même.

Hélas ! Ceci ne s'arrête pas là. Une des pensées négatives les plus néfastes est celle que je nommerais :

La graine de la maladie : ***la colère****.*

Je parlerai ici plus en détail de la colère, qui est la source première d'une longue série de pensées négatives. C'est à croire qu'elle est la graine même de la maladie. Elle nourrit sournoisement toutes les énergies de l'esprit conscient et du corps-esprit.

La colère est une haine intense qui neutralise l'intellect, c'est-à-dire la faculté de discerner le bien et le mal ainsi que ses conséquences à court ou à long terme. Le jugement devient alors complètement inopérant et l'état de l'esprit s'apparente à une forme de folie. Cette colère vous plonge dans un état de mal-être qui ne fait qu'aggraver vos difficultés.

Le mal-être engendré par la colère transforme l'individu de la manière la plus déplaisante et la plus repoussante qui soit. Les vibrations qu'émet une telle personne sont peu invitantes et elles irradient de l'hostilité. Les autres le sentent comme s'il s'agissait de vapeurs toxiques. Elle a beau sourire et faire l'effort d'être gentille, la méchanceté refera surface à la moindre occasion et repartira de plus belle pour une longue période de pensées et de paroles négatives pour l'entourage. On est loin d'avoir envie de fréquenter de tels êtres. Quand une personne abrite en elle des pensées haineuses, celles-ci s'accumulent jusqu'à la rendre malade.

La colère et la haine, laissées sans surveillance, ont tendance à s'aggraver. Leur laisser libre cours ne pourra que leur permettre de croître. Aussi doit-on cultiver à l'avance le contentement intérieur, la bonté et la compassion. Cette pratique sera porteuse d'une sérénité qui aidera à maintenir une bonne santé. Et quand une situation vous met en colère, affrontez-la et ne laissez pas le saboteur rester maître de la situation. Analysez-la et examinez-en les causes. La patience et la tolérance sont deux éléments indispensables pour retrouver la paix intérieure. Disciplinez-vous. Contrôlez-vous. Éliminez les tentatives du saboteur et, en pensée, faites parvenir des roses rouges aux personnes concernées par cette situation négative, cette guerre inutile.

Il est extrêmement important de rechercher les causes ou les origines de la colère, de savoir comment elle survient. Les choses, les événements, les phénomènes, les situations, tout est dynamique, tout change à tout moment, rien ne reste statique. Plus on refuse d'accepter ce fait, plus on résiste aux changements naturels de l'existence et plus on perpétue la colère. Souvent, on refuse de renoncer au passé, on s'accroche à une apparence ou à des aptitudes passées. Il est alors certain que l'on ne se prépare pas à une vieillesse heureuse. Acceptez plutôt la situation qui cause la colère et tournez la page, afin de vous épargner des sentiments négatifs.

La recherche a démontré que le fait de défier activement la colère, de l'analyser logiquement et de refaire le cheminement de pensée qui a pu y mener contribue à la dissiper. Je ne suis pas d'accord avec cette théorie, car elle laisse trop de place au saboteur pour réellement l'éliminer de notre schéma de pensée. Car, bien sûr, un désir de vengeance et un sentiment de haine se manifesteront tôt ou tard pour alimenter la colère. Il faut intervenir avant qu'elle ne prenne toute son ampleur. La tolérance et la patience sont très bénéfiques, mais avec le saboteur dans les parages, inutile de dire que ce ne sera pas une partie facile. En développant votre maîtrise du saboteur, vous parviendrez à rester toujours très calme et serein, même dans les situations stressantes. N'est-ce pas merveilleux ? Croyez-moi, c'est possible.

S'efforcer d'atteindre une plus grande sérénité ne signifie pas renoncer à tout sentiment et faire montre d'une totale indifférence. Nous pouvons reconnaître qu'une chose est bonne et une autre mauvaise. Travaillez donc à vous débarrasser du mauvais, soit des pensées négatives, et nourrissez-vous de pensées positives, et cela, en tout temps.

Notre colère et notre haine n'ont aucun effet physique sur nos ennemis, elles ne les blessent pas. C'est nous qui en devenons la victime à cause de toutes les conséquences pernicieuses de l'amertume qui nous ronge de l'intérieur. La colère fait perdre l'appétit et le sommeil, nous rend désagréable aux yeux des autres, sans compter qu'elle sème le germe de la maladie, qui prendra tout son temps pour se développer en nous. La colère nous perturbe profondément alors que nos ennemis continuent de vivre paisiblement sans soupçonner la peine que nous nous infligeons à nous-même.

La capacité de notre ennemi à nous faire du mal est en fait très limitée. C'est nous qui décidons du mal qu'il nous a fait et qui lui donnons toute son ampleur, ce qui engendre en nous la haine et, parfois même, le désir de vengeance. Même dans les situations les plus susceptibles de provoquer toutes les formes de la colère, la patience et la tolérance demeurent des vertus à cultiver pour devenir et rester heureux. Quand nous laissons des émotions puissantes de colère extrême nourrir notre psyché, celles-ci créent aussitôt une agitation et obscurcissent notre esprit pensant. Elles minent notre paix intérieure et font en nous une entaille pour y laisser s'installer le mal-être et la souffrance.

Chez beaucoup de personnes, le feu de la colère brûle jour et nuit. Comment peuvent-ils être heureux et savourer la vie à pleines dents ? Impossible! Vivre dans le monde de la non-violence, c'est vivre en harmonie, c'est aimer. Notre monde est plein de haine et de violence parce que cet état de choses fait l'affaire des dirigeants de notre planète. Ils exercent ainsi leur pouvoir et leurs subalternes exécutent leurs ordres au nom de la *liberté* ou du *devoir*. Hélas! ils n'ont pas encore compris qu'ils sont victimes d'une manipulation exercée sur eux au nom de la patrie. Si, au lieu d'engendrer des guerres sans fin au prix de vies innocentes, ils utilisaient le pouvoir de l'*amour universel* pour négocier au nom de leurs prochains des ententes logiques de part et d'autre, nous vivrions dans la paix.

Il existe beaucoup de sortes d'émotions négatives ou d'afflictions : la suffisance, l'arrogance, la jalousie, la luxure, l'étroitesse d'esprit, la haine, la vengeance, la méchanceté et ainsi de suite. De tous ces maux, c'est la colère qui en résulte et qui est considérée, et de loin, comme la pire, comme le plus grand obstacle à notre équilibre. C'est la graine de la maladie. Que nous réserve le monde de demain ?... Nous manquerons certainement d'hôpitaux.

Par exemple, le fonctionnement de l'esprit conscient ressemble à une rivière, à un continuum fluide de connaissances pures, chaque connaissance conduisant à une autre. Ce flot de conscience se prolonge à l'infini, de minute en minute, d'heure en heure, de jour en jour, d'année en année et même de vie en vie puisque la connaissance est éternelle. Bien que nous changions de corps lors de la renaissance (la mort), la conscience se prolonge avec sa banque de connaissances et ses valeurs acquises en vue de la prochaine existence. Rien ne peut effacer l'énergie engendrée par la colère et dont la facture ne peut s'amenuiser avec le temps. Seule une démarche de pardon peut enfin effacer toute trace de colère. Mais qui serait prêt à passer à l'action quand la colère domine sa personnalité et son caractère ? Il n'y a pas d'antidote pour éliminer la colère et sa suite. En outre, dans l'esprit qui est pur, les facteurs polluants des pensées négatives ont tous été éliminés au fil du temps. Un tel esprit est débarrassé de toute pollution grâce à la gestion des pensées négatives, qui permet de contrecarrer l'action du saboteur.

Par manque de connaissance, l'esprit s'imprègne de perceptions erronées et se laisse envahir par les pensées négatives. La racine de ces états d'esprit et d'attitude est une ignorance fondamentale qui, de façon fautive, perçoit tout comme possédant une réalité intrinsèque. Cette perception est le résultat d'une distorsion mentale qui peut être corrigée grâce à la gestion de vos pensées. Ainsi, il est possible de mettre fin au cycle des existences suscité par l'ignorance. Les agrégats contaminés du corps et de l'esprit qui nous retiennent dans cette existence non éveillée peuvent aussi être éliminés. La vraie libération, c'est d'être définitivement sorti du cercle vicieux qui résulte de cet attrait de la personnalité.

En conclusion, les docteurs Redford Williams et Robert Sapolski ont démontré que la colère, la haine, la rage et l'hostilité endommagent surtout le système cardiovasculaire. À force d'accumuler les preuves des effets dommageables de l'hostilité, on a fini pas la considérer comme le principal facteur de risque dans les affections cardiaques, un facteur au moins aussi nocif, sinon plus, que les traditionnels excès de cholestérol et d'hypertension.

Si la colère influe sur le système cardiovasculaire, ne pourraitelle pas jouer un aussi grand rôle dans les autres maladies ?

L'estime de soi est l'antidote de la colère.

Chapitre 13

La cause

PREMIER REMÈDE À LA MALADIE !

🗝 n° 5

La médecine moderne reste persuadée que la maladie est causée par des agents objectifs extérieurs. Or, une maladie ne peut s'installer sans qu'un hôte l'accepte, d'où les tentatives actuelles pour comprendre notre système immunitaire. Dans le domaine de la croissance personnelle, une multitude de guérisons sont dues à la pensée. Peu importe le choix de la démarche, l'important, ce sont les résultats.

Comment trouver la cause de telle ou telle maladie ? C'est une question que beaucoup de personnes se posent. Une très grande quantité d'ouvrages existent sur le marché, écrits par des auteurs de renom qui ont mené de longues recherches pour arriver à des conclusions impressionnantes. Non seulement ils ont mis le doigt sur la cause d'une maladie bien identifiée, mais en plus, ils donnent la marche à suivre pour s'en libérer.

Le but premier est de trouver la cause de la maladie. Après quoi, le malade pourra s'en libérer. Tous les ouvrages portant sur ces questions sont bien faits et, malgré leurs différences, tous se rejoignent. L'Univers vous mène vers l'ouvrage qui vous convient le mieux, soyez-en assuré.

Bien que ces enseignements paraissent assez complexes, ils sont faciles à saisir. Rien de mieux qu'un exemple pour illustrer le fond précis de ma pensée. Considérons le cas d'une personne souffrant du diabète. La cause du diabète est le *mal-être.* Le malade doit alors rechercher ce qui met son état psychique et physique dans une situation de mal-être. Pas heureux, pas bien dans sa peau, pas bien dans sa vie, en un mot, il a le *mal de vivre.*

Ceci n'est qu'un exemple, mais sachez qu'il en va ainsi pour toutes les maladies, sans aucune exception. Il y a toujours une cause. Vous trouvez la cause, vous trouvez la réponse.

Plusieurs situations de notre vie passée peuvent être la cause d'une maladie. Il faut donc prendre du recul en notant jusqu'au plus loin de nos souvenirs ce qui nous a marqués, blessés, ce qui a hypothéqué notre vie. Ce peut être, par exemple, l'abandon, la trahison, le manque d'amour d'un parent, une déception quelconque, etc. Une fois que nous avons mis le doigt sur la blessure intérieure qui est toujours présente dans l'activité consciente des cellules de notre corps, nous devons entreprendre la démarche proposée par l'auteur pour nous libérer consciemment du négatif énergétique qui est toujours présent dans toutes ces cellules, comme dans notre esprit, tant d'une manière consciente qu'inconsciente.

J'avoue que les démarches proposées ne sont pas nécessairement faciles à exécuter, car le malade les a très souvent occultées. Il est possible que l'aide d'un thérapeute soit nécessaire à l'accomplissement de la démarche. Mais dites-vous bien que vous le faites pour vous et non pour l'autre. La démarche se veut personnelle et n'implique pas la ou les personnes directement en cause. C'est un travail sur soi et pour soi. L'autre n'a rien à voir avec ce que vous avez vécu, bien qu'il soit la cause première de votre état de santé actuel.

Dès que la démarche est achevée, les cellules du corps gérées par l'esprit conscient changent radicalement de fonction énergétique et redonnent au corps les éléments de fonction nécessaire pour une vie en parfaite santé. Il est clair que plus l'organe est hypothéqué, plus le travail des cellules sera ardu et plus il faudra du temps pour le régénérer, avec ses fonctions.

Comme le temps n'existe pas en énergie, c'est la motivation et la détermination qui fixent la durée de la guérison. Plus vous retarderez la mise en route de la démarche proposée, plus vos cellules continueront leur travail en endommageant l'organe infecté.

Notre esprit est toujours en activité, il pense ; lorsqu'il s'arrête de penser, il vit dans le silence. En nous libérant des blocages émotionnels, nous retrouvons la source véritable pour effacer la cause de la maladie. La relation de l'esprit conscient et du corps-esprit, tout le monde peut la vivre à tout moment. Le point qu'Archimède cherchait, l'endroit où il pourrait se tenir pour déplacer l'Univers, existe réellement. Il se trouve à l'intérieur de nous-même, caché par l'aventure d'un quotidien qui est toujours en état d'éveil. Le processus mental de guérison doit se faire en profondeur. Bien que parfois la démarche fasse très mal, vous devez persévérer, travailler sérieusement et faire l'opération proposée pour enrayer la cause de la maladie.

Comme notre esprit conscient est aussi lié à notre cerveau, celui-ci fait la liaison de la pensée, en l'occurrence les pensées de guérison. Certes, pour que celles-ci soient valides et efficaces, il faut que le nettoyage de la ou des causes soit fait. Il est clair que votre saboteur dominera votre esprit pour en garder le contrôle et fera tout pour vous empêcher de passer à l'action. Soyez tenace, car c'est la première porte à franchir pour une guérison rapide et parfaite.

Qu'il s'agisse d'une guérison spontanée comme l'élimination de la douleur d'une brûlure ou d'un ulcère d'estomac, la régénération des cellules d'un os fracturé ou d'une plaie dont les cellules se cicatrisent plus rapidement que la normale, ou encore de l'arrêt complet d'une maladie évolutive dont les traitements en cours sont peu satisfaisants, rappelez-vous que **l'impossible devient possible** ! Peu importe l'importance du succès de l'expérience, c'est à vous seul que revient le mérite de cette belle victoire.

Dans mon livre *Les clés du Secret,* je vous ai donné les clés de la liaison directe avec l'Univers, dont vous avez certainement savouré plusieurs succès. Aujourd'hui, la démarche est différente, tout comme le sont les buts visés. Je vous propose une autre méthode d'utilisation de l'énergie de l'Univers pour bénéficier de toute la puissance qui sommeille en vous et qui ne demande qu'à être utilisée en cas de besoin.

On peut faire cesser un écoulement sanguin, un mal de tête ou une migraine comme on peut faire disparaître une verrue définitivement. Ces expériences ne sont que des clins d'œil à toutes les autres possibilités.

Récemment, une dame dont la tension artérielle était plus élevée que la normale ordonna à l'Univers de l'abaisser. Le résultat fut presque immédiat. Quelques minutes plus tard, elle constata que sa tension était devenue beaucoup trop basse. Se sentant inconfortable, elle la vérifia à nouveau. Le choc fut tel qu'elle réalisa son erreur. Elle rectifia sa formulation de manière à ce que l'Univers stabilise sa tension. En moins de deux, tout était rentré dans l'ordre.

Évidemment, nous sommes loin des cas de fractures, de cancers ou de maladies virales dont les symptômes sont sournois et indétectables. Sachez pourtant que la puissance de l'énergie qui est en attente peut soigner même ces cas, à la condition que vous suiviez toutes les étapes imposées. Dans le cas des incidents, on sollicite l'Univers directement dans le sens du but visé. Pour une guérison, on se sert de la même énergie en passant par le septième chakra, le coronal.

Une jeune fille de douze ans, Cathia, souffrait de polyarthrite depuis plusieurs années. Des traitements à la cortisone soulageaient sa douleur, mais plus le temps avançait, plus la maladie progressait. Cathia n'arrivait à marcher que deux jours sur sept. Ses médecins et ses parents devaient se rendre à l'évidence : la maladie suivait son cours.

Après une première rencontre, dont le but était de trouver la cause de la maladie, je lui proposai de suivre ma formation (Gestion de la Pensée), qui devait lui fournir tous les éléments nécessaires à une guérison complète et définitive. Je lui précisai que je ne ferais rien pour elle, mais que je lui donnerais les enseignements dont elle aurait besoin. C'était à elle d'accomplir le travail qui s'imposait.

Deux ans et demi plus tard, la science criait au miracle. Ses parents, elle et moi savions tous que cette guérison résultait du travail effectué par Cathia et par personne d'autre.

Il faut prendre au sérieux cette clé. Vous pouvez l'ignorer. Tant et aussi longtemps que vous ne trouverez pas la cause qui est à l'origine de votre maladie, vous resterez malade.

Il est vrai qu'il a été prouvé que c'est la pensée qui décide de tout. Je suis d'accord avec cette hypothèse. Mais il y a toujours des consignes à respecter, qui font partie des règles du jeu. Malgré leur puissance, vos pensées doivent se soumettre à une réglementation.

Soyez respectueux pour votre corps physique et votre esprit conscient. C'est vous le maître d'œuvre de votre réalisation, mais ce sont eux les collaborateurs de votre vie, de votre santé, de votre bonheur. Sans eux, vous êtes mort.

La curiosité est l'apanage de l'intelligence !

Trouver la cause est trouver le remède !

Chapitre 14

Le canal énergétique

DÉCOUVERTE DU SIÈCLE...

n° 6

Le canal énergétique est une énergie puissante et efficace parmi vos pouvoirs extraordinaires. C'est une énergie peu explorée. Cependant, ses effets sont spectaculaires et immédiats. Cette énergie est d'un niveau intense de vibrations particulières dont la propagation se fait par un chemin fluidique déterminé.

Pour que le canal énergétique remplisse son rôle de guérisseur, il faut avoir les informations requises. Il est doté d'une puissance extrêmement grande qu'on doit utiliser avec précaution, car il agit selon l'intention du penseur, et les résultats de son énergie font en sorte que ses effets bénéfiques sont remarquables ou nuls, tenant compte des informations que le penseur lui donne.

Allons directement au mode d'utilisation. Imaginez un rayon laser très puissant, aux couleurs éclatantes, parcourant un tuyau transparent et pénétrant la glande hypophyse, qui est le septième chakra, le coronal, dont la conscience cosmique est suprarationnelle. L'énergie se trouve alors convertie en matière. Ce jet fluide entre ou sort selon votre intérêt. Contrairement aux autres formes de pensées, dont la propagation se fait généralement de façon diffuse, un peu comme la bougie qui éclaire tout autour d'elle, sans orientation déterminée, le canal énergétique focalise ses rayons dans un but bien défini. Partant du haut, du centre de la tête, de l'intérieur, en passant pas la pituitaire, qui est la glande maîtresse, il se dirige directement à l'endroit décidé par le penseur. Le canal énergétique s'opère toujours à l'intérieur du corps.

Attention, toutefois : tout médicament ou supplément alimentaire, comprimé vitaminé, calcium, potassium, zinc, fer, etc., peuvent se consommer en énergie. En canalisant l'énergie, vous l'orientez vers le système digestif (estomac). Tout comme un comprimé, elle est distribuée dans votre système sanguin. Lorsqu'il s'agit de régénérer un organe, c'est à cet endroit que l'énergie est dirigée.

Parlons de la couleur de l'énergie du canal. Je vous suggère le jaune, le jaune soleil ou le blanc, qui n'est pas une couleur en soi, mais qui est très lumineux. Il faut éviter les couleurs agressives comme le rouge, l'orangé, le bleu et le vert tonique. L'énergie est incolore.

Aussi, utilisez toujours la même couleur, afin de développer votre niveau de concentration. Vous observerez qu'au départ de l'expérimentation du canal, vous n'arriverez pas à vous concentrer longtemps, à peine quelques secondes. On ne peut pas faire fonctionner ce canal en étant distrait puisque la concentration détermine la durée d'opération du canal. En utilisant toujours la même couleur, la durée de votre concentration augmentera.

Indépendamment des formulations et des affirmations, le canal énergétique doit être utilisé plusieurs fois par jour. Je dirais jusqu'à cent fois par jour, si c'est possible. Plus vous l'utilisez, plus vous bénéficiez de ses bienfaits. La raison en est que le corps ne reçoit l'énergie qu'à petites doses. Il n'y a pas de limite quant au nombre d'usages quotidiens du canal. Plus il sera actif, plus il opérera dans les cellules du corps. Sa qualité première est de régénérer les cellules et aussi les organes. Il n'a pas de limite.

Un petit conseil : pour arriver à l'utiliser très souvent dans une journée, je vous suggère l'utilisation d'une minuterie de rappel, par exemple celle d'un téléphone portable ou d'un chronomètre de cuisine. Sinon, vous ne l'utiliserez que quelques fois par jour et ce sera malheureusement insuffisant pour récupérer rapidement. Rappelez-vous que le corps ne reçoit l'énergie qu'à petites doses. Même si vous arriviez à vous concentrer pendant trente minutes, par exemple, votre corps ne prendra que ce qu'il est en mesure d'absorber, et pas plus. C'est pour cette raison que nous devons utiliser le canal à répétition.

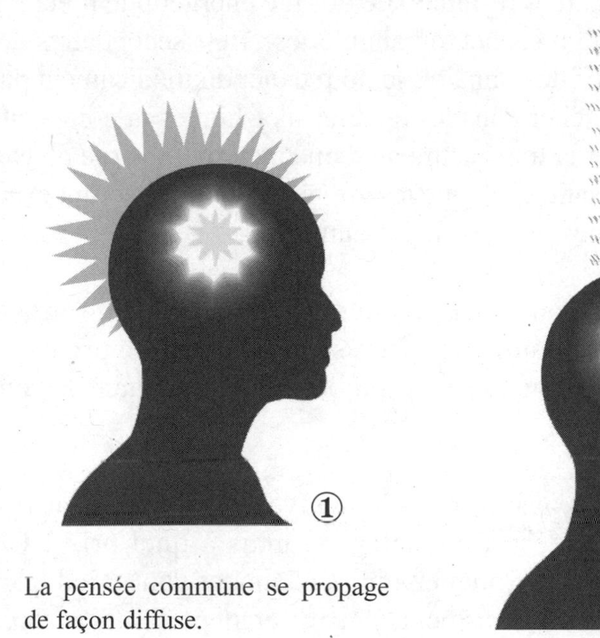

① La pensée commune se propage de façon diffuse.

② Le canal énergétique est une pensée constructive ayant un but bien précis.

Ces vibrations sont constituées d'énergie pure de guérison physique. Elles sont donc des *pensées-énergies*, qui prennent un chemin spécial (la glande hypophyse) pour atteindre l'objectif visé. Pour bien visualiser le tracé de ce chemin particulier, plaçons-nous au point de départ de notre réseau-pensée : le penseur lui-même. Plus la pensée est sincère et bienveillante, plus le rayon d'énergie est net et solide.

Dès son émission, le rayon d'énergie focalisant la pensée obéira scrupuleusement aux intentions du penseur. Il se dirigera vers l'endroit visualisé et remplira son rôle immédiatement et pendant tout le temps de la concentration. Quant au corps, il accueillera toute la quantité d'énergie qu'il peut gérer à la fois.

Le canal énergétique trouve sa puissance dans la précision de son identification et dans la profondeur de l'intention. De là l'importance d'une consultation médicale. En canalisant les médicaments prescrits, vous obtiendrez les mêmes résultats. Le dosage énergétique n'étant pas limité comme celui d'un cachet, on annule les effets secondaires de ce dernier. Il est impératif de connaître le nom exact du médicament parce que l'Univers ira chercher dans les annales akashiques la composition du produit demandé et la transmettra au demandeur par la voie du canal. Ce qu'il y a d'intéressant, c'est que les effets secondaires seront exactement les mêmes si vous oubliez de les annuler.

Heureusement pour nous, cette merveille qu'est l'Univers a tout prévu. Nous pouvons annuler les effets secondaires d'un produit. Au moment de la formulation, il suffit d'ajouter : « en évitant les effets secondaires ».

Si, par erreur, vous utilisiez la mauvaise énergie, vous bénéficierez quand même des effets néfastes, mais à quel prix ! C'est exactement comme si vous preniez un médicament contre-indiqué ou incompatible avec votre organisme. L'Univers étant parfait, il accomplit exactement ce que vous lui avez ordonné.

L'énergie est avant tout un autoguérisseur, un élément naturel que la vie vous offre. Ses résultats sont semblables et plus importants encore que ceux de la médecine traditionnelle ou de toute médecine douce. Vous comprendrez rapidement que cette énergie est fantastique.

Vous allez croire que c'est miraculeux, magique. Il s'agit simplement d'une énergie pure que vous véhiculez et dont vous vous servirez en tout temps et pour toutes les situations.

Dans le cas du canal énergétique, il est inutile d'insister sur l'immédiateté. En effet, c'est la visualisation qui joue le rôle important dans la canalisation de l'énergie. Donc, automatiquement, le travail se fait immédiatement.

Je vous présente une multitude d'exemples que vous pourrez expérimenter maintenant pendant que vous êtes en bonne santé. Le fait de connaître des succès importants avec le canal énergétique pendant que vous êtes en bonne santé vous permettra d'obtenir les mêmes résultats s'il arrive que vous tombiez malade. Vous saurez que le canal énergétique agira tout aussi puissamment pour vous guérir.

L'énergie ou le canal énergétique a toujours un effet remarquable : effectuez un premier essai, vous en serez émerveillé. En canalisant de l'énergie *stimulante*, vous en ressentirez l'effet instantanément. Vous l'utiliserez au moment où votre corps vivra au ralenti. Bien que vous ayez de la difficulté à sortir de votre lit, à entreprendre votre journée ou à combattre la fatigue momentanée de l'après-midi, vous accomplirez votre travail dans une forme incroyable.

Beaucoup de personnes souffrent de fatigue au travail, car faire une sieste y est impossible. Momentanément fatiguées, moins productives, elles se canalisent de l'énergie stimulante. La vitalité revient alors instantanément. Il est toutefois recommandé d'éviter cette canalisation après 15 h 30, car votre sommeil pourrait en être altéré. En effet, le recours à l'énergie stimulante en début de soirée entraîne un coucher tardif et des insomnies.

La raison en est simple, c'est que l'Univers comble le vide. Durant votre sommeil, il redonne à votre corps toute l'énergie dépensée pendant le jour. Comme la quantité n'existe pas, on ne peut pas en commander seulement quelques grammes ou quelques gouttes. L'Univers fait alors le plein.

Vous envisagez peut-être de vous en sortir en canalisant de l'énergie *calmante*. Or, il n'en est rien : l'énergie est équilibre. Si vous prenez un cachet pour vous stimuler en début de soirée, puis un somnifère quelques heures plus tard, l'effet chimique du somnifère vous stimulera à cause de la chimie du cachet tonifiant qui opère dans votre organisme.

C'est exactement ce que vous vivrez avec l'énergie calmante si vous l'ajoutez à l'énergie stimulante au moment où cette dernière n'est pas encore totalement évacuée de votre organisme.

Bien sûr, l'énergie calmante peut avoir un effet soporifique si vous la canalisez avant le coucher ; elle peut aussi apaiser le stress qui vous habite momentanément. Dans ce dernier cas, la fatigue n'accablera pas votre journée ; au contraire, vous la vivrez dans la quiétude et la sérénité.

L'énergie *antidouleur* est de mise dans les cas d'accidents : brûlures, blessures, chutes, etc. Cependant, cette énergie ne permet pas de soulager la douleur causée par une maladie. Il est clair que la douleur cessera momentanément, mais dans les minutes qui suivront, elle reviendra.

En ce qui concerne l'énergie *guérissante*, elle est valable et efficace, mais ses résultats sont plus lents. Pourquoi ? L'énergie n'a pas d'identification précise, elle est comme un sparadrap. Ce n'est pas qu'elle soit moins efficace, mais le pouvoir du canal prend sa puissance dans la précision de l'application. Pas d'identification précise, pas d'énergie. Sinon, je vous aurais annoncé en primeur l'énergie miraculeuse du siècle, et toutes les autres seraient devenues inutiles.

Cependant, dans les cas où la médecine n'arrive pas à diagnostiquer le problème, l'énergie *guérissante* jouera très bien son rôle. Mais il faut la canaliser partout dans le corps, de la tête aux pieds. La douleur peut être ressentie à un endroit et localisée dans un autre. En la canalisant partout dans le corps, elle agira partout avec la même intensité.

Un malaise est un signal qui annonce une anomalie dans l'organisme. Lorsque le foie fonctionne au ralenti, par exemple, on prend un comprimé et le malaise est éliminé. Mais le foie n'en est pas guéri pour autant.

Je rappelle ici l'importance de pratiquer la canalisation très souvent dans la journée. À cette fin, une minuterie vous serait utile.

Sinon, vos canalisations seront insuffisantes pour récupérer rapidement. Souvenons-nous que c'est par petites doses que le corps capte l'énergie.

L'énergie n'étant pas une matière tangible comme un comprimé, utilisez un aide-mémoire, sinon vous manquerez de régularité. Soyez assuré qu'avec l'énergie, vous obtiendrez les mêmes résultats qu'avec n'importe quelle médication.

Voici une liste des différentes sortes d'énergie à appliquer aux diverses affections courantes.

- Analgésique.................... Contre la douleur
- Antiacide......................... Contre l'excès d'acidité gastrique
- Antibiotique.................... Contre la prolifération des bactéries
- Anticoagulante............... Contre les caillots
- Antiémétique................... Contre les nausées et les vomissements
- Antihistaminique............ Contre les réactions allergiques
- Antimitotique.................. Contre la prolifération des cellules
- Antinéoplasique............. Contre le cancer
- Antiphlogistique............ Contre les inflammations
- Antipyrétique.................. Contre la fièvre
- Antiseptique.................... Contre les infections
- Antispasmodique............ Contre les convulsions
- Antisudoral...................... Contre la sudation
- Artichaut......................... Pour la bile et le foie
- Azote liquide................... Contre les verrues
- Broméline....................... Contre la cellulite
  ou L-Carnitine
- Calcium........................... Pour tout
- Calmante......................... Pour retrouver son calme après les crises d'épilepsie
- Cicatrisante.................... Pour cicatriser les plaies, les brûlures, les ulcérations
- Chlorure de magnésium... Contre les crampes
- Collagène....................... Pour le visage
- Compound W.................. Contre les verrues
  ou Quilidoine

- Cortisone ou Diprosalic ... Contre l'eczéma, le psoriasis, etc.
- Destructrice des cellules cancéreuses ... Contre les cellules cancéreuses
- Fluidique ... Pour la circulation sanguine
- Fondante ... Contre le goitre, les inflammations des ganglions, les adipocytes, les nodules, les kystes, les hémorroïdes, le surplus de poids
- Fongicide ou Dartarin ... Contre les champignons
- Hématopoïétique ... Contre les anémies et dysfonctionnements de la fonction d'hématopoïèse
- Imodium ou pomme râpée ... Contre la diarrhée
- Laxative douce, normal ou forte ... Contre la constipation
- Lécithine (de soja) ... Pour la mémoire, contre le cholestérol
- Magnésium ... Pour les fonctions cellulaires
- Méaogène, bourrache, huile d'onagre, hormones femelles et mâles : progestérone, testostérone et œstrogène ... Contre les troubles de la ménopause
- Myéline ou guarana ... Contre la sclérose en plaques
- Potassium ... Contre les problèmes cardiovasculaires et la goutte
- Préparation H ... Contre les hémorroïdes
- Protéine de poudre d'os, griffe du diable, énergie chauffante ... Contre l'arthrose
- Queues de cerise ou ortie ... Pour les reins
- Radis noir ... Pour la bile et le foie
- Raffermissante ... Pour les muscles et les seins
- Raffermissante et stimulante ... Pour le pénis
- Rajeunissante ... Pour tout le corps, intérieur et extérieur
- Renforçante du ... Pour prévenir les infections du système immunitaire

- Renforçante du système oculaire .... Pour la vue
- Restructurante ou réparatrice .... Pour réparer les tissus dégénérés (ex. : les articulations et les cartilages)
- Revitalisante du système capillaire .... Pour le cuir chevelu
- Séchante .... Contre les polypes et les fibromes
- Stimulante .... Jusqu'à 15 h 30
- Stimulante du pancréas ... Contre le diabète
- Vasopressique .... Pour réduire l'élimination urinaire
- Vibrocil .... Pour déboucher le nez (ou décongestionnant)
- Vitamine C .... Contre le scorbut
- Zinc .... Pour les reins chez la femme, pour les reins et la prostate chez l'homme
- Zovirax .... Contre le zona et l'herpès

L'énergie épouse le qualificatif donné, se transforme en matière énergétique et devient aussi efficace que n'importe lequel des médicaments. La multitude des énergies est infinie, elle ne se limite pas aux cas précédemment nommés, que je ne vous donne qu'à titre d'exemples pour vous aider à franchir le pas.

Dans un traitement de ce type, l'Univers ne peut détruire en une seule tentative toutes les cellules infectées, comme il ne peut pas non plus régénérer les cellules en un seul canal. Tout dépend de l'évaluation de l'infection comme de la participation du malade dans sa démarche de canalisation énergétique.

La pratique de la canalisation énergétique ne prend que quelques secondes ; sa répétition régulière et continue est importante. C'est pour cette raison qu'il est capital de recourir à un *aide-mémoire*.

Nous sommes en présence d'un processus holistique général qui conduit dans un même temps à la guérison du corps par l'esprit conscient. Le système corps-esprit est en symbiose dans la démarche et amorce le processus de guérison.

Avant de conclure, vous vous demandez certainement comment formuler vos canalisations énergétiques. Je vous ai déjà proposé des formules. Personnellement, quand je m'adresse à l'Univers, je dis : « Univers infini. » Cependant, quand j'utilise le canal énergétique, j'emploie l'interpellation : « Esprit infini. » Pourquoi ? J'ai créé un automatisme dans mon subconscient et dès que je désigne l'énergie, l'opération se met en branle.

Formulation, affirmation – Univers infini.
Canal énergétique – Esprit infini.

Dès lors, le canal se met en route, et il ne me reste plus qu'à l'identifier.

Par exemple, je dis : « Esprit infini, je me canalise de l'énergie de vitamine C... » Je répète la même phrase pendant toute la durée de ma concentration.

Il est clair qu'on peut transférer de l'énergie à une autre personne. Il suffit de remplir les mêmes conditions. Au lieu de faire entrer l'énergie par l'hypophyse, on la fait sortir par cette dernière pour la projeter dans l'hypophyse de l'autre.

La nécessité de passer par l'hypophyse de l'émetteur vient du fait que l'énergie émise prend toute sa puissance dans l'intention de l'émetteur lui-même.

Pour pouvoir me concentrer plus longtemps, je répète la même phrase, selon diverses cadences, aussi longtemps que mon niveau de concentration me le permet : rapidement, lentement, très lentement, très rapidement, extrêmement lentement, normalement, etc. Il n'y a pas de régularité à observer. Cette suggestion a simplement pour objet de faciliter la concentration prolongée.

Il est possible d'utiliser plusieurs canaux énergétiques, mais un à la fois et en prenant une pause de quelques secondes avant de passer à un autre. Vous pourrez ainsi utiliser plusieurs canaux les uns à la suite des autres.

La clé du succès est dans la spontanéité. Il ne suffit pas de canaliser de l'énergie à répétition sans y apporter la moindre attention. Souvenez-vous que la désignation appropriée du canal est impérative pour que son effet soit valable. La subtilité de la conscience est impressionnante, le champ silencieux de l'intelligence le sait. Son savoir va beaucoup plus loin qu'on ne peut l'imaginer.

Synthèse du canal énergétique

1- Imaginez un rayon puissant entrant par le centre de votre cerveau et aboutissant à vous-même ou au cerveau d'une personne à laquelle vous le destinez. Visualisez-le sous une couleur de votre choix, afin de faciliter cette opération mentale.

2- Prononcez une formulation commençant comme celle-ci :

« *Esprit infini, je me canalise de l'énergie de...* (nommez le qualificatif). »

Visualisez en même temps ce rayon aboutissant à l'endroit désiré.

3- Pour une autre personne, la formulation est différente :

« *Esprit infini, je canalise de l'énergie de...* (qualificatif) *vers...* (nommez et visualisez cette personne). »

En même temps, imaginez qu'un rayon sort de votre cerveau, entre par la glande hypophyse de l'autre personne et se dirige dans son corps vers l'endroit ciblé.

Le canal énergétique, le miracle de l'avenir !

Chapitre 15
La transmutation

CONVERSION DE LA MATIÈRE EN UNE AUTRE ÉNERGIE

La *transmutation* est une autre façon d'utiliser l'énergie de l'Univers. Elle consiste à transformer une énergie en une autre. Cette transformation est d'autant plus intéressante qu'elle ouvre notre esprit conscient à toute la puissance possible et infinie que l'Univers met à notre disposition.

Cependant, concernant l'attitude, les états d'esprit et les pensées négatives, la transmutation est illogique. Ainsi, il est impossible de transmuter des peurs en confiance en soi ou de la colère en bonheur. Pourquoi ? Parce que l'Univers ne pense pas, ne réfléchit pas et n'analyse pas. Alors, il serait bien embêté de transmuter des peurs en confiance ou de la colère en bonheur. Ses énergies évoluant au niveau de la loi de l'attraction, et cela dans la même dimension vibratoire à un degré différent, elles sont incompatibles avec la manière opérationnelle de l'Univers.

Cependant, on peut transmuter de la matière physique en énergie. Par exemple, l'Univers infini transmute immédiatement le poids des sacs d'épicerie en paquets légers. Toutefois, il ne faut pas croire que vos sacs seront légers comme s'ils étaient remplis de plumes d'oie. Seulement, en mesure de pesanteur, ils correspondront au poids que votre corps est en mesure d'assumer.

Tout objet matériel doté d'un poids peut être transmuté en objet plus léger. Votre surprise sera grande, car vous déplacerez ainsi plus facilement des charges importantes. Il convient toutefois d'émettre la formulation juste avant d'entreprendre la manipulation de l'objet.

Voici une expérience impressionnante. Après un passage chez le coiffeur, mangez des friandises ou du chocolat en répétant cette formulation : « Univers infini, transmute immédiatement les calories de ce... (chocolat, par exemple) en énergie capillaire. » Vous constaterez que vous devrez retourner chez votre coiffeur plus tôt que de coutume. Il ne s'agit pas ici d'enrichir les coiffeurs, mais de constater que vos cheveux pousseront beaucoup plus vite selon la quantité de friandises consommées. Attention, il faut pratiquer la transmutation chaque fois que vous vous offrez ce luxe. Votre manque de régularité ne vous permettrait pas de constater une différence.

La transmutation permet aussi de perdre du poids. Il suffit de transmuter toutes les calories en énergie de vitamine C, par exemple. Attention, il faut le faire avant chaque repas ou collation, même si on ne prend qu'un repas léger. La formule à prononcer est toujours la même : « Univers infini, transmute immédiatement toutes les calories de mon repas en énergie fondante. » Une pratique irrégulière, toutefois, n'apportera aucun succès. L'assiduité est essentielle pour obtenir le résultat.

Bien sûr, il faut être sérieux. Il est évident qu'une personne qui dévore comme un ogre triche avec l'Univers, qui lui rendra la monnaie de sa pièce, comme on dit.

Au niveau émotionnel, au lieu de transmuter l'énergie, on la fait dévier. Ainsi que vous le constaterez, les possibilités offertes par l'Univers sont infinies. Par exemple, on colporte sur votre compte des ragots qui vous blessent. Ces racontars se répandent sans que vous puissiez les démentir. Vous en avez de la peine et vous en voulez à la personne qui, hypocritement, casse du sucre sur votre dos.

Au lieu de souffrir et de remâcher votre ressentiment, et afin de conserver votre sérénité et votre bonheur, retournez à son émetteur toutes ses pensées et ses paroles négatives en les transmutant en énergie d'amour. Vous pouvez prononcer à cette fin une formule comme la suivante : « Univers infini, retourne immédiatement à son émetteur toutes ses pensées et ses paroles sous forme d'énergie d'amour. »

Le résultat est merveilleux ! Deux choses se produisent. La première, c'est que vous devenez ainsi indifférent aux méchancetés colportées, et la seconde, c'est qu'elles vont cesser instantanément. Dans votre entourage, c'en sera fini de ces rumeurs malveillantes !

Certes, il faut une grande maîtrise pour ne pas tomber dans le schéma de la colère et des autres émotions négatives. À moi aussi, il m'arrive d'entendre des propos désobligeants à mon égard ou à propos de la Gestion de la Pensée. Tout le monde ne peut pas être d'accord avec moi et s'intéresser à mon enseignement. Je respecte la liberté de pensée de mes détracteurs, mais je ne suis pas obligé de subir psychologiquement leurs affronts. Je ne veux surtout pas ternir un seul instant de ma vie avec ces sentiments négatifs. Alors, je prononce une formulation instantanée en plus de leur envoyer des roses rouges sous forme d'énergie, comme je le préconise dans *Les clés du Secret.*

Une grande découverte énergétique à explorer.

Chapitre 16

Les mantras énergétiques

QUE DU BONHEUR !

Les mantras énergétiques, c'est aussi de la transmutation. Cependant, cet exercice ne se pratique qu'à l'*extérieur*, jamais dans la maison ou dans un lieu public, ni en voiture.

La transmutation consiste à transformer une énergie en une autre. Vous transmutez l'air que vous inspirez en une autre énergie dont les bienfaits sont instantanés dans un moment choisi. En expirant, vous évacuez les énergies négatives résultant de cette transmutation.

Cette technique comporte deux phases. Lors de la *première phase,* au moment de réciter le mantra, vous visualisez des millions de petites poussières dorées qui pénètrent dans vos narines et que vous désignez par un mot de votre choix. Lors de la *seconde phase,* quand vous expirez par la bouche, vous imaginez des particules grisâtres dûment nommées qui s'échappent de votre bouche. Répétez l'exercice autant de fois que vous le désirez. Imprégnez-vous du même mantra. Plus tard dans la journée, vous pouvez recommencer avec un mantra différent. Il faut donner à l'Univers le temps de transmuter les énergies traitées.

Je vous propose une liste de mantras que vous pourrez varier à votre gré :

- ➢ J'inspire du *bonheur*, j'expire ma *peine*.
- ➢ J'inspire de la *joie de vivre*, j'expire mon *chagrin*.
- ➢ J'inspire de la *santé*, j'expire ma *maladie* (la nommer).

- J'inspire de la *force*, j'expire mes *douleurs*.
- J'inspire de la *vitalité*, j'expire ma *paresse*.
- J'inspire le *calme*, j'expire mon *stress*.
- J'inspire l'*amour*, j'expire ma *haine*.
- J'inspire la *tendresse*, j'expire ma *rancœur*.
- J'inspire la *douceur*, j'expire ma *révolte*.
- J'inspire la *paix*, j'expire mon *ressentiment*.
- J'inspire la *confiance*, j'expire mes *faiblesses*.
- J'inspire l'*humour*, j'expire ma *tristesse*.
- J'inspire la *générosité*, j'expire mon *égoïsme*.
- J'inspire la *charité*, j'expire ma *méchanceté*.
- J'inspire la *quiétude*, j'expire mes *angoisses*.
- J'inspire la *bonté*, j'expire mes *pensées négatives*.
- J'inspire la *sagesse*, j'expire mon *étroitesse d'esprit*.
- J'inspire la *gratitude*, j'expire ma *hargne*.
- J'inspire la *ténacité*, j'expire mon *manque de motivation*.
- J'inspire la *foi*, j'expire mes *doutes*.

Dans le domaine de la santé, on peut aussi réciter des mantras thérapeutiques, en plus de la canalisation énergétique.

- J'inspire (*nom du médicament ou du produit naturel*), j'expire (*nom du virus, du microbe ou de l'infection*).
- J'inspire de la *vitamine C*, j'expire mon *rhume*.
- J'inspire de l'*artichaut*, j'expire l'*excédent de bile de mon foie*.

La marche à suivre est très simple. Il faut se concentrer, mais avec l'expérience, vous arriverez à le faire en conduisant...

- Se tenir debout, bien droit. (Ce n'est pas là une règle obligatoire : on peut se tenir assis, être couché, poursuivre une activité...)
- Se détendre en pensée.
- Décider du mantra.
- Respirer par le nez très lentement et remplir ses poumons de poussières dorées...
- Expirer par la bouche très lentement l'air vicié des poumons sous forme de poussières grisâtres.
- Changer de mantra à son gré.

Expérimenter les mantras, c'est s'ouvrir à une nouvelle forme de méditation, c'est s'offrir un ou plusieurs moments de détente dans la journée...

Ce n'est que du bonheur !

CONCLUSION

LA SANTÉ COMMENCE AVANT TOUT PAR LA PENSÉE.

J'ose croire que la curiosité l'emportera sur la critique. Médecins, scientifiques, journalistes et grand public seront curieux de s'initier à cette merveilleuse découverte.

Savoir qu'elle existe est une chose, la mettre en pratique en est une autre. Certes, il est plus facile d'ignorer ou de refuser, mais alors, on reste dans l'ignorance et on entretient telle quelle la traditionnelle relation entre le médecin et le malade, qui n'exige du malade aucun engagement sérieux.

Dans cet ouvrage, je parle d'évolution... Faisons partie de l'élite qui donnera au monde à venir une nouvelle vision de la médecine.

LE CANAL ÉNERGÉTIQUE EST LA MÉDECINE DE DEMAIN.

LE MÉDECIN RESTERA TOUJOURS LE CONSULTANT, MAIS L'UNIVERS SERA LE TRAITANT !

BIBLIOGRAPHIE

CHOPRA, Dr Deepak. *Le Corps quantique*, Paris, InterÉdition, 2002.

GÉRÔME, Dr Paul. *L'Alogique du corps*, Genève, collection « Mythanalyse », 1994.

JOHNSON, Dr Julian. *La Voie des maîtres*, Genève, 1939.

DALAÏ-LAMA. *Pratique de la sagesse*, Paris, Presses du Châtelet, 2006.

DALAÏ-LAMA et **CUTLER**, Howard. *L'Art du bonheur*, Paris, Robert Laffont, 1999.

DALAÏ-LAMA et **VREELAND**, Nicholas. *L'Art de la compassion*, Paris, Robert Laffont, 2002.

GRABHO, Lynn. *Excusez-moi, mais ma vie m'attend,* Charlottesville, AdA, 2004.

SCHNEIDER, Thierry. *Vivre grand*, Québec, Un monde différent, 1999.

SÉVIGNY, Daniel. *Pensez-Gérez-Gagnez,* Québec, Éditions de Mortagne, 1995.

SÉVIGNY, Daniel. *Conversation entre hommes,* Québec, Éditions de Mortagne, 2001.

SÉVIGNY, Daniel. *Les clés du Secret,* Québec, Éditions de Mortagne, 2007.

THICH NHAT HANH. *Le Cœur des enseignements de Bouddha*, Paris, La Table Ronde, 2000.

Produits de DANIEL SÉVIGNY

DVD, au nombre de six, pour transformer votre vie

Pratiquer au quotidien la GESTION DE LA PENSÉE est un art. Aussi le public a-t-il exprimé le désir de disposer d'un matériel de soutien leur permettant, notamment, de retrouver facilement les formules à utiliser. Daniel Sévigny a donc repris les grands thèmes de ses conférences, qu'il présente ici sous forme de capsules de trois minutes et demie chacune. Il a intitulé ces capsules les COMPRIMÉS DU BONHEUR, que vous pouvez visionner au rythme de une par jour. Elles vous soutiendront dans cette nouvelle manière de vivre que vous avez adoptée après avoir compris l'importance de la loi de l'attraction.

• **PHASES 1-2-3-4 : LA FORCE DE L'ESPRIT**

La complicité de l'ÉNERGIE DE L'UNIVERS dans votre quotidien. La découverte du saboteur qui empoisonne votre existence. La programmation du subconscient, un passeport pour la réussite. Comme tout le monde, vous aussi direz : « **C'est facile et ça marche !** »

• **PHASE 5 : LE POUVOIR D'AUTOGUÉRISON**

Le canal énergétique est la découverte du siècle... C'est un pouvoir extrêmement puissant. Des milliers de personnes ont obtenu des résultats impressionnants. Les mantras sont des outils merveilleux pour garder son psychique au niveau du bonheur, pour optimiser son état d'esprit. **Le premier remède de la guérison est la pensée.**

- **PHASE 6 : LE MONDE DES GUIDES**

J'atteste la réalité de ce monde irréel pour le commun des mortels, j'authentifie la présence des guides et je vous donne le privilège d'utiliser leurs ressources pour agrémenter et embellir votre vie. **Nos plus fidèles amis, les guides.**

- **PHASE 7 : MA PREMIÈRE LEÇON DE VIE**

À l'occasion d'une colonie de vacances, des jeunes découvrent la remarquable technique de la Gestion de la Pensée adaptée aux enfants. **Le monde de demain, ce sont les enfants d'aujourd'hui.**

- **CD : DE L'OMBRE À LA LUMIÈRE**

Un bijou, des textes sur un fond musical choisi. À écouter dans l'auto, au travail, partout. Ce CD vous permet de rester toujours en liaison avec les pouvoirs de votre « esprit présent ».